FOLLE, FOLLE, FOLLE L'ÉCOLE!

LA MASCOTTE MABOULE

DANS LA MÊME COLLECTION :

La fièvre du trésor

Crayon de malheur

FOLLE, FOLLE, FOLLE L'ÉCOLE!

LA MASCOTTE MABOULE

ANDY GRIFFITHS

Texte français d'Hélène Pilotto

Catalogage avant publication de Bibliothèque et Archives Canada

Griffiths, Andy, 1961-
La mascotte maboule / Andy Griffiths ;
texte français d'Hélène Pilotto.

(Folle, folle, folle l'école!)
Traduction de: Mascot madness!
Niveau d'intérêt selon l'âge : Pour les 9-12 ans.

ISBN 978-0-545-98123-1

I. Pilotto, Hélène II. Titre. III. Collection: Griffiths,

Andy, 1961- . Folle, folle, folle l'école!

PZ23.G848 Ma 2009 j823 C2009-901151-4

Édition publiée par les Éditions Scholastic,
604, rue King Ouest, Toronto (Ontario) M5V 1E1

5 4 3 2 1 Imprimé au Canada 09 10 11 12 13

Pour Sooty

Chapitre 1

Il était une fois

Il était une fois — et il est toujours — une école appelée l'école Sudest de Nordouest de Centreville.

L'école Sudest de Nordouest de Centreville est située au sud-est de la ville de Nordouest, laquelle est située au nord-ouest de la grande ville de Centreville.

Vous n'avez pas besoin de savoir où se trouve Centreville, car c'est sans importance. Ce qui est important, c'est l'école. Dans cette école, il y a une classe. Et dans cette classe, il y a un groupe d'élèves de 5ᵉ année. Et, plus important encore, c'est que, dans ce groupe d'élèves de 5ᵉ année, il y a un garçon nommé Henri Tournelle qui adore raconter des histoires.

C'est ici que j'interviens.

C'est moi, Henri Tournelle... et voici mon histoire la plus récente.

Chapitre 2

Attaque au lait!

Tout commence un matin avant la classe.

Je suis dans la cour d'école avec mes amis, Jacob Lepitre, Janie Ladouceur, Gaëlle Gaillard et Lucas Latrouille.

Jacob nous parle du poisson qu'il a pêché pendant la fin de semaine. Comme la plupart des histoires de pêche de Jacob, elle est divertissante, mais fictive en bonne partie.

— Vous auriez dû le voir! s'exclame Jacob en écartant les bras au maximum. Il était gros comme ça!

— Tu peux toujours rêver, Jacob! dit Gaëlle en roulant les yeux.

— Je n'ai pas rêvé! réplique Jacob. Tu aurais dû le voir se débattre! Il m'a pratiquement tiré hors de la barque. J'ai failli tomber à l'eau!

Lucas sursaute de peur.

Lucas sursaute toujours de peur.

Lucas a peur de... eh bien, il a peur de pas mal tout, ma parole.

Nommez n'importe quoi et vous pouvez être certains qu'il en a peur.

— Ne t'inquiète pas, Lucas, dis-je en lui tapotant l'épaule. Jacob exagère un peu, c'est tout.

— Non, proteste Lucas en secouant la tête. Je n'ai pas peur de ça.

— Dans ce cas, de quoi as-tu peur?

— De ÇA! crie Lucas en montrant quelque chose du doigt derrière moi.

— Oh, oh! laisse échapper Gaëlle.

— Oh, oh! laisse échapper Jacob.

— Henri, attention! crie Janie.

Je me retourne juste à temps pour voir l'autobus de l'académie Ouest de Nordouest passer en trombe devant l'école. J'ai aussi le temps de voir un objet être lancé par une des fenêtres de l'autobus. L'instant d'après, je suis couvert de lait.

Du lait sucré, collant et aromatisé à la banane.

— On se voit à la compétition, les nuls de Sudest de Nordouest de Centreville! lance la voix familière de Tommy Glou, le président d'école de l'académie Ouest de Nordouest.

Puis l'autobus disparaît dans les éclats de rire et un épais nuage de fumée noire et malodorante.

Je reste planté là, tout dégoulinant de lait.

— Est-ce que ça va, Henri? s'inquiète Janie.

— Ouais, ça va, merci, dis-je. J'imagine que je suis juste un peu plus banano-laiteux que d'habitude.

— Veux-tu que je t'amène chez Mme Petitsoins?

Mme Petitsoins est l'infirmière de l'école. Pour soigner toute blessure ou tout malaise, elle pose des bandages. Beaucoup de bandages.

— Non, dis-je. Je ne suis pas blessé... juste un peu collant.

— Un peu puant, tu veux dire, déclare Fred Rustaud qui arrive au même moment, flanqué de son frère Olivier.

— Ouais, répète Olivier, vraiment puant. Bien dit, Fred!

— Merci de votre aide, intervient Gaëlle en se plantant droit devant eux et en gonflant ses muscles. À présent, sauvez-vous et allez jouer comme de bons petits garçons.

— Je m'en allais de toute façon, répond Fred en regardant Gaëlle avec méfiance. Il y a quelque chose dans le coin qui empeste la banane pourrie.

— Ça n'empestait pas avant ton arrivée, fait remarquer Jacob.

Fred lance un regard furieux à Jacob.

— Hé! toi, le petit gringalet! Je vais te serrer la tête tellement fort qu'elle va éclater comme un vulgaire bouton d'acné!

Gaëlle se place entre eux, les bras croisés sur la poitrine.

Fred fixe Gaëlle. Ses yeux plissés ne sont plus que deux fentes noires.

— Un de ces jours, Gaillard, dit-il tranquillement, un de ces jours...

— Quoi? Un de ces jours, tu vas apprendre les bonnes manières? demande Gaëlle.

— Non, réplique Jacob, bien à l'abri derrière Gaëlle. Un de ces jours, il va prendre un bain!

Fred dévisage Jacob.

Jacob dévisage Fred.

Fred jette un coup d'œil à Gaëlle.

Gaëlle donne un petit coup de tête de côté.

— Va-t'en, ordonne-t-elle à Fred.

Fred hausse les épaules.

— Viens, Oli, dit-il. Partons d'ici et allons dans un

endroit où ça ne sent pas mauvais.

Fred tourne les talons et s'éloigne.

— Bien dit, Fred! réplique Olivier en courant à sa suite. Bien dit!

Chapitre 3

Le Super Séchoir 3000

J'entre dans le local de la classe 5B en me demandant comment autant de lait a pu sortir d'un si petit contenant.

Je suis trempé. Mes vêtements me collent à la peau et, même si je déteste l'admettre, Fred a raison : j'empeste. Comme les bananes.

— Henri, que s'est-il passé? me demande Florence Fortiche en levant les yeux de sa calculatrice.

— L'académie Ouest de Nordouest est passée, dis-je. Voilà ce qui s'est passé. Quelqu'un a lancé un contenant de lait par une des fenêtres de l'autobus.

— Oh, bonté divine! s'exclame Florence. Un missile projeté à cette vélocité aurait pu causer de graves blessures! Attends voir...

Elle se met à entrer des nombres sur sa calculatrice, tout en marmonnant des trucs au sujet de missiles, de trajectoires et d'impacts prévus.

— Ça dépasse totalement les bornes! s'écrie David Brillant, le président de la classe, en agitant le manuel de l'école. Il est écrit ici qu'il est tout à fait contraire au règlement de l'école de projeter des missiles à partir de véhicules en mouvement!

— David, dit Gaëlle, ça, c'est le manuel de *notre* école. Or, c'est l'académie Ouest de Nordouest qui a lancé le missile. Tu sais bien qu'ils jouent selon leurs propres règles...

— Ah, ouais, lâche David avec un air maussade. Je déteste quand les gens jouent selon leurs propres règles.

— Oh, non! s'écrient Paméla et Gina. Les chevaux! Nous les avons attachés dans la cour. Est-ce qu'ils vont bien?

Paméla et Gina font allusion à leurs chevaux imaginaires. M. Desméninges, notre enseignant, exige que Paméla et Gina les attachent toujours dehors. Ainsi, elles se concentrent mieux sur leur travail en classe.

— Ils vont bien, les rassure Janie. Ils n'ont pas reçu une seule goutte de lait!

Pendant ce temps, Guillaume Patente me confie :

— Ne t'inquiète pas, Henri, j'ai exactement ce qu'il te faut pour te sécher dans le temps de le dire. Ne bouge pas!

Guillaume se précipite dans le corridor et court jusqu'à son casier. Le père de Guillaume est inventeur, et Guillaume apporte toujours à l'école quelques-unes des nouvelles inventions intéressantes empruntées au laboratoire de son père. Malheureusement, les inventions ne fonctionnent pas toujours comme elles le devraient... mais elles sont toujours intéressantes.

— J'ai hâte de voir ça, commente Jacob en se croisant les bras et en retenant son souffle. Content que ce soit toi plutôt que moi.

Je m'exclame :

— Je n'ai pas d'autre choix! Je me sens drôlement inconfortable dans mes vêtements!

— Pas de panique, Guillaume Patente est à votre

service! annonce Guillaume en brandissant un objet qui ressemble à un séchoir à cheveux surdimensionné.

— C'est exactement pour cette raison que nous paniquons! réplique Jacob.

— Cet objet, continue Guillaume en faisant comme s'il n'avait rien entendu, est le prototype du Super Séchoir 3000. Il est à peine plus gros qu'un séchoir à cheveux ordinaire, mais il est doté de la puissance — et de la force de séchage — de trois mille séchoirs à cheveux. Es-tu prêt?

Guillaume dirige le Super Séchoir 3000 directement sur moi, le doigt déjà posé sur la gâchette.

— Ne le laisse pas faire, Henri! me prévient Jacob. Tu vas le regretter.

Je comprends l'inquiétude de Jacob. Mais je suis planté là, transi, mouillé et empestant la banane. Je vois mal comment les choses pourraient être pires.

— Je vais courir le risque, Jacob, dis-je. C'est bon, Guillaume. Vas-y!

Guillaume hoche la tête et appuie sur la gâchette.

Le Super Séchoir 3000 se met à rugir.

Au début, j'ai l'impression d'être soufflé par un séchoir à cheveux.

Puis j'ai l'impression d'être soufflé par trois mille séchoirs à cheveux.

Ensuite, eh bien... je l'ignore parce que l'instant d'après, la force brute du Super Séchoir 3000 me propulse dans les airs et me jette dehors par la fenêtre!

Chapitre 4

Cette odeur délicieuse émanerait-elle de moi?

Je termine ma chute sur le dos, en travers de la plate-bande de fleurs fraîchement plantées par M. Herbête.

M. Herbête n'aime pas les gens qui tombent dans sa plate-bande de fleurs fraîchement plantées.

Je le sais parce que je l'entends déjà crier.

Je sors ma tête de la terre molle. M. Herbête court vers moi en agitant sa fourche.

— Henri? appelle Janie depuis la fenêtre. Est-ce que ça va?

— Oui, dis-je. Je crois que ça va.

— Tu ferais mieux de sortir de là, conseille Gaëlle. M. Herbête s'en vient.

— Et il a une fourche à la main! ajoute Lucas.

— J'y travaille, dis-je en m'extirpant de la terre à grand-peine.

Mes vêtements sont secs à présent, mais le lait séché les a raidis. Toutefois, la simple vue des bouts pointus de la fourche de M. Herbête suffit à me donner envie de me lever et de courir.

Heureusement, M. Herbête est encore loin et je parviens à retourner en classe avant qu'il ne plante les pointes de sa fourche dans le fond de mon pantalon tout raidi par le lait.

Après mon retour en classe, Guillaume a à peine le temps de s'excuser et d'expliquer que le Super Séchoir 3000 nécessite encore quelques ajustements que, déjà, M. Desméninges arrive.

Il s'immobilise.

Et renifle.

— Que je sois damné si ce n'est pas... commence-t-il, sa bouche dessinant un sourire radieux. De la banane! Ça sent la banane! Et on dirait qu'elle a été chauffée ou rôtie. Miam!

M. Desméninges aime les bananes.

Je ne veux pas dire par là qu'il aime les bananes.

Je veux dire qu'il aime *vraiment* les bananes.

Il fait quelques pas dans ma direction tout en reniflant l'air.

— Henri? demande-t-il. Cette odeur délicieuse émanerait-elle de toi?

— Oui, monsieur! dis-je. Mais je peux vous expliquer...

— Il n'y a rien à expliquer, tranche-t-il. Contentons-nous de savourer! Il n'y a rien qui surpasse l'odeur de la banane fraîche le matin! Ah! quel matin! Quel merveilleux matin!

— Non, ce n'est pas un merveilleux matin, dis-je, debout dans mes vêtements raides, inconfortables et malodorants. C'est un matin affreux! Terriblement affreux!

Le reste de la classe hoche la tête et émet un murmure d'approbation.

M. Desméninges fronce les sourcils.

— Que voulez-vous dire, tous? demande-t-il. Le soleil brille. Les oiseaux chantent. Les fleurs éclosent. Et il flotte dans la classe une odeur de banane chaude. Pourquoi faites-vous cette tête?

— Parce que c'est la saison de l'athlétisme, répond Jacob avec un air maussade.

— La saison de l'athlétisme! s'exclame M. Desméninges, les yeux brillants. C'est formidable! Dehors, au grand air, sous le soleil chaud, dans l'herbe douce... à aller au bout de soi et plus loin encore! Sentir les muscles qui travaillent, la sueur sur le front, les poumons qui élancent, le plaisir pur et primitif de la course... courir, sauter, lancer... Aaaah! J'ai passé quelques-uns des plus beaux jours de ma vie au stade d'athlétisme.

— C'était peut-être comme ça pour vous, dit Gaëlle, mais ce n'est pas ainsi que ça se passe pour nous. Pour nous, l'athlétisme, ça signifie être ridiculisés par l'académie Ouest de Nordouest à la compétition interscolaire annuelle.

— Oh! Allons! s'exclame M. Desméninges. Vous n'êtes sûrement pas aussi mauvais que vous le dites!

Je proteste :

— Nous sommes aussi mauvais que ça. Nous sommes désespérants. Nous perdons chaque année.

— L'académie Ouest de Nordouest est imbattable, ajoute Janie.

— En tout cas, ce n'est certainement pas avec une attitude comme celle-là que vous allez les vaincre, déclare M. Desméninges.

— Mais ils n'ont *jamais* été vaincus, insiste Gaëlle. *Jamais!* Et leur directeur, M. Constrictor, est un ancien lutteur professionnel.

— Tant mieux pour lui, réplique M. Desméninges.

— Ouais, c'est ça, dit Jacob. Tant mieux pour lui et tant pis pour nous. Il a été renvoyé de la Fédération internationale de lutte... pour avoir attaqué un arbitre.

— Ce n'est pas très gentil, fait remarquer Janie, scandalisée à l'idée que quelqu'un puisse attaquer une autre personne, à plus forte raison un arbitre.

Olivier bondit sur ses pieds.

— Ce n'est pas vrai! C'était un coup monté! C'est l'arbitre qui l'a attaqué!

— Peu importe, tranche Jacob. Le fait est qu'il ne respecte pas les règles.

— Je vais dire à mon frère que tu as dit ça, menace Olivier. Et je te préviens, il ne va pas aimer ça. Il est un grand amateur de lutte. M. Constrictor est son héros. C'est le mien aussi. Son surnom, c'était le Boa, parce qu'il serrait ses adversaires tellement fort que ceux-ci ne pouvaient plus respirer.

— Ça, ce n'est *vraiment* pas gentil, souligne Janie.

— Je vais vous dire un autre truc qui n'est pas du tout gentil, dis-je à M. Desméninges. Vous savez que la plupart des écoles ont un programme pour contrer l'intimidation, n'est-ce pas? Eh bien, à l'académie Ouest de Nordouest, M. Constrictor a mis sur pied un programme pour encourager l'intimidation, afin d'enseigner aux élèves comment intimider plus efficacement! Leur mascotte est un bull-terrier nommé Punk!

— Tu veux dire quelqu'un dans un costume de bull-terrier? demande M. Desméninges.

— Non! répond Janie. C'est un *vrai* bull-terrier. Il appartient à M. Constrictor. Et ce chien est vraiment méchant!

Jenny plaque aussitôt sa main sur sa bouche. Elle déteste dire quoi que ce soit de vilain à propos de quiconque, même s'il s'agit d'un chien.

— Elle a raison, renchérit Jacob. C'est le chien le plus gros, le plus méchant et le plus terrifiant qu'on n'ait jamais vu. Ses crocs sont vraiment pointus et il est toujours en train de grogner et de japper et de...

— Ça suffit, Jacob! dis-je en apercevant Lucas qui le fixe, la bouche ouverte. Tu fais peur à Lucas.

— Oh là là! dit M. Desméninges. Ce sont des adversaires plutôt coriaces. Mais ne perdez pas espoir! Tôt ou tard, le talent et l'habileté viendront à bout des gros muscles.

— Mais c'est justement ça, le problème, intervient Janie. Nous n'avons aucun talent. Ni habileté.

— Je n'en crois pas un mot! réplique M. Desméninges.

— C'est vrai! renchérit Jacob. Demandez à M. Dutonus. Il va vous dire à quel point nous sommes nuls. D'ailleurs, il dit souvent qu'il n'y a pas pire école pour enseigner l'éducation physique!

— Allons donc! s'esclaffe M. Desméninges. Je suis certain qu'il ne dit pas ça pour vrai.

— Bien sûr que oui! s'écrie Lucas. Il dit que nous sommes une bande de nuls!

M. Desméninges cesse de sourire.

— Mettons les choses au clair, dit-il. M. Dutonus, votre enseignant d'éducation physique, vous a dit que vous étiez « nuls » ?

— Oui! répond Lucas. Il nous le dit tout le temps. Et il doit savoir de quoi il parle : il a participé aux Jeux olympiques.

M. Desméninges se frotte le menton.

— Vraiment?

— Oui, répond Gaëlle. C'est à peu près son seul sujet de conversation... à part nous rappeler à quel point nous sommes nuls.

— Intéressant, laisse tomber M. Desméninges. Très intéressant. Quand a lieu votre prochain cours d'éducation physique avec M. Dutonus?

— Après le dîner, répond David.

— Bien, déclare M. Desméninges. Il se pourrait que j'aille faire un petit tour pour voir.

Chapitre 5

M. Dutonus

Cet après-midi-là, nous sommes assis sur la pelouse pendant que M. Dutonus marche de long en large devant nous, sa planchette à pince dans une main, son chronomètre dans l'autre et un sifflet autour du cou.

M. Dutonus nous fixe d'un regard furieux, porte son sifflet à ses lèvres et souffle dedans.

Très fort.

— Bon, écoutez-moi maintenant, bande d'incapables! gronde-t-il, ses yeux jaillissant des orbites, aussi gros que des balles de golf. Aujourd'hui, nous allons travailler le triple saut. Ça devrait être assez facile... même pour une bande de nuls comme vous, 5B. Vous faites un saut à cloche-pied, une foulée et vous sautez. Est-ce bien clair?

Nous hochons tous la tête docilement.

Tous, sauf Jacob qui me regarde en faisant jaillir ses yeux à la manière de M. Dutonus.

Même si je crains un peu M. Dutonus, je ne peux pas m'empêcher d'éclater de rire. Malheureusement, M. Dutonus m'entend.

— Aurais-je dit quelque chose d'amusant, Tournelle? demande-t-il, les yeux encore plus exorbités qu'auparavant.

— Non, monsieur, dis-je.

— Dans ce cas, qu'est-ce qui est si drôle?

— Rien, monsieur! dis-je en essayant désespérément, mais sans succès, de maîtriser mon fou rire.

— Tu as raison! lance M. Dutonus. Le triple saut n'a rien de drôle! Et la compétition d'athlétisme de Nordouest n'a rien de drôle non plus, sinon qu'elle a lieu, au cas où vous l'auriez oubliée, DANS MOINS DE DEUX SEMAINES!

M. Dutonus hurle les cinq derniers mots à pleins poumons, ce qui m'aide certainement à faire disparaître tout sourire de mon visage.

Son haleine est épouvantable.

En fait, elle est tellement mauvaise que j'ai l'impression que je vais m'évanouir, et c'est probablement ce qui serait arrivé si M. Desméninges n'était pas apparu au même instant, distrayant M. Dutonus de son sermon.

— Bonjour, monsieur Dutonus, lance joyeusement M. Desméninges.

M. Dutonus examine M. Desméninges avec méfiance.

— Oui? dit-il. Je peux vous aider?

— Non, non, répond M. Desméninges. J'ai simplement eu envie de descendre pour voir comment la classe se tire d'affaire en vue de la grande compétition.

Les yeux de M. Dutonus rentrent dans leurs orbites et se plissent.

— Vous pouvez regarder, Desméninges, mais je vous avertis tout de suite : vous n'intervenez pas! J'utilise ici des techniques d'entraînement de pointe. J'ai fait les Jeux olympiques, vous savez!

— Oui, on m'a raconté, dit M. Desméninges. C'est justement pour cette raison que j'espérais bien que vous me laisseriez observer votre cours : je trouve toujours intéressant de voir un maître à l'œuvre dans son domaine!

De toute évidence, M. Dutonus est ravi de la flatterie de M. Desméninges. Il bombe le torse.

— Je leur enseignais justement le triple saut.

— Ah, oui! Le triple saut! approuve M. Desméninges. Quand j'étais jeune, on appelait ça le « un bond, un pas, un saut ».

— Oui, je sais déjà tout ça, s'empresse de dire M. Dutonus. Même s'il est vrai que cette épreuve implique un saut à cloche-pied, une foulée et un saut, on a décidé de rebaptiser l'épreuve le triple saut, afin d'éviter toute confusion.

Jacob lève la main.

— Excusez-moi, monsieur Dutonus, appelle-t-il.

— Qu'y a-t-il, Lepitre? demande M. Dutonus avec impatience.

Il n'aime pas être interrompu.

— Pourquoi appelle-t-on ça le triple saut si le mouvement ne compte en fait qu'un seul saut?

M. Dutonus fixe Jacob et ses yeux se mettent de nouveau à jaillir de leurs orbites.

— Lepitre, lâche-t-il, tu es un parfait idiot!

Je jette un coup d'œil à M. Desméninges, qui affiche un air plutôt scandalisé.

— Monsieur Dutonus, dit-il, je me dois de protester. Je ne vois pas en quoi traiter un élève de « parfait idiot » fait partie d'une technique d'entraînement de pointe...

— Sans compter que c'est contraire au règlement de l'école, ajoute David en brandissant le manuel de l'école. On dit ici que...

— La ferme, Brillant! lance M. Dutonus. Ton stupide

manuel ne m'intéresse pas. Ce qui m'intéresse, ce sont les résultats.

Puis il se tourne vers M. Desméninges et ajoute :

— C'est qui l'expert, ici, Desméninges? Vous ou moi?

— Vous, bien sûr... commence M. Desméninges.

— Bien sûr que c'est moi! réplique sèchement M. Dutonus. Je vous prie de vous en souvenir et de la boucler, vous aussi!

Jamais nous n'avons entendu un enseignant parler à un autre enseignant sur ce ton. Et il est clair que M. Desméninges non plus, car il est tellement secoué qu'il se contente de hocher la tête... en gardant la bouche bien fermée.

M. Dutonus donne un grand coup de sifflet.

— Lepitre! aboie-t-il. Puisque tu sais tant de choses au sujet du triple saut, vas-y le premier!

Jacob hausse les épaules, se lève et marche jusqu'à la ligne blanche, devant la zone de chute. Puis il prend une grande respiration, plisse le front et se penche en avant.

— Cesse de perdre ton temps et vas-y! hurle M. Dutonus.

— Oui, monsieur! dit Jacob.

Il s'élance.

Une fois rendu à la ligne blanche, il cesse de courir et exécute trois petits sauts, les bras fléchis et les mains pendantes. Comme un lapin.

Toute la classe éclate de rire. Même M. Desméninges.

M. Dutonus est la seule personne à ne pas rire.

— Lepitre, tu es un moins que rien! aboie-t-il. Fais-moi 50 tours de piste! Et que ça saute!

— Est-ce que j'ai fait une bêtise? demande Jacob.

— Non, mais moi je risque d'en faire une si tu ne commences pas immédiatement! réplique M. Dutonus avec humeur, en avançant vers lui.

Jacob se met à courir.

Chapitre 6

Le lancer du cahier

— Excusez-moi, monsieur Dutonus, intervient David, mais était-ce une menace? Parce que, dans le manuel de l'école, il est écrit que les enseignants n'ont pas le droit de menacer les élèves.

— Vraiment? dit M. Dutonus en traversant le terrain pour s'approcher de David.

— Tout à fait, répond David en sortant le manuel de son short. C'est écrit juste ici, section trois, sous-paragraphe deux!

— Comme c'est intéressant! s'exclame M. Dutonus. Je peux voir?

— Oui, monsieur, répond David en tendant le manuel à M. Dutonus. Section trois, sous-paragraphe deux...

M. Dutonus saisit le manuel et le lance de toutes ses forces à l'autre bout du terrain.

— Pas de lecture durant le cours d'éducation physique! Je me fais bien comprendre?

— Oui, monsieur, répond un David manifestement stupéfait.

— Bien, dit M. Dutonus. Dans ce cas, continuons la leçon, si tu le veux bien.

David hoche la tête.

La seule personne qui semble encore plus stupéfaite que David, c'est M. Desméninges. Même s'il n'est pas lui-même un grand adepte des manuels de règlements, il nous parle toujours avec beaucoup de gentillesse. À moins qu'il ne soit en train de crier, bien sûr, mais même dans ces cas-là, il crie toujours avec beaucoup de gentillesse.

M. Dutonus nous regarde.

Nous faisons tous de notre mieux pour paraître invisibles, mais Lucas, qui tremble comme une feuille, y parvient moins bien que les autres.

— Latrouille! lance M. Dutonus.

Je murmure à l'oreille de Lucas :

— Ne t'inquiète pas. Fais juste un saut à cloche-pied, une foulée et un saut, et tout ira bien.

Lucas hoche la tête tout en essayant de bien assimiler mes paroles.

— Un saut... un saut à cloche-pied... une foulée... non, attends. Un saut à cloche-pied, un saut et une foulée? Ou était-ce un saut à cloche-pied, un saut, un autre saut à cloche-pied et une foulée?

M. Dutonus donne deux coups de sifflet très fort.

— Dépêche-toi! hurle-t-il. On n'a pas toute la journée. La compétition a lieu dans moins de deux semaines et le compte à rebours est commencé!

Lucas court jusqu'à la ligne de départ, mais il ne fait aucun saut à cloche-pied.

Ni foulée.

Ni saut.

Il continue simplement à courir.

Et à courir.

Et à courir.

Tout droit vers l'autre côté du terrain et jusque dans le vestiaire.

M. Dutonus l'observe, puis se retourne vers nous.

— Eh bien, il est nul au triple saut, déclare-t-il, mais je dois reconnaître qu'il a du potentiel à la course.

— Devrais-je aller voir s'il va bien?

Je pose la question en espérant que cela me permettra d'éviter d'avoir à faire la démonstration de ma propre nullité totale au triple saut.

Mais M. Dutonus n'est pas dupe.

— Et ainsi, Tournelle, manquer ta chance de nous impressionner tous avec ton triple saut? demande-t-il avec un éclair de malice dans ses yeux protubérants. Je ne pense pas, non. Vas-y.

Je proteste :

— Mais...

— Vas-y! aboie M. Dutonus. À moins que tu ne préfères aller rejoindre ton ami Jacob?

Je regarde du côté de Jacob. Il a seulement fait trois tours et il est déjà en train de vaciller et de trébucher, en se tenant l'estomac. À le voir ainsi, je trouve l'option du triple saut subitement très attirante.

Chapitre 7

Un faux pas, un trébuchement et une chute

M. Dutonus donne un coup de sifflet.

— À tes marques, Tournelle! dit-il. Prêt! C'est parti!

Je n'ai pas besoin de plus d'encouragement : je m'élance.

Je cours et je tente un triple saut.

Je me débrouille plutôt bien quand, d'une manière inexplicable, alors que je suis en l'air, quelque part entre la foulée et le saut — je n'en suis pas certain — je perds l'équilibre et finis par m'étaler de tout mon long par terre, la face dans le sable.

— C'est nul! hurle M. Dutonus. Archi-nul! Ça s'appelle le triple saut, tu te souviens? Il y a un saut à cloche-pied, une foulée et un saut, pas un faux pas, un trébuchement et une chute!

— Je suis désolé, monsieur Dutonus, mais...

M. Dutonus interrompt ma phrase d'un coup de sifflet.

— Garde tes excuses pour toi, Tournelle! crie-t-il à pleins poumons. Je ne veux pas d'excuses! Je veux des résultats! Montrez-moi un homme qui excelle à trouver des excuses et je vous montrerai un PERDANT!

— Mais monsieur Dutonus, dis-je, je...

M. Dutonus donne un autre coup de sifflet.

— Tu te considères comme quoi, Tournelle? demande-t-il. Un gagnant ou un perdant?

Je respire à fond et dis :

— Je suis un gagnant, monsieur.

— Non, tu n'en es pas un, réplique M. Dutonus. Regarde-toi un peu, Tournelle! Tu es étendu de tout ton long dans le sable et tu pleures pour voir ta mère...

— Je ne pleure pas, dis-je en me mettant à genoux et en clignant des yeux le plus fort possible. J'ai du sable dans les yeux et ça les fait couler!

— Hoooooon! gémit M. Dutonus. Pauvre petit bébé... Comme ça le pauvre petit Riri à sa maman a reçu du sable dans ses yeux?

— Attendez une minute! intervient M. Desméninges en sortant tout à coup de sa stupeur silencieuse. Je n'en connais peut-être pas autant que vous, mais...

— Non! l'interrompt aussitôt M. Dutonus. Vous avez raison. PERSONNE ici n'en connaît autant que moi!

Il se dirige aussitôt vers la ligne de départ en bousculant M. Desméninges au passage.

— Ôtez-vous de là. Je vais vous montrer à tous, bande d'incapables, comment il faut faire. Observez et apprenez!

Je sors du sable pendant que M. Dutonus s'accroupit pour se mettre en position de départ. Je traverse le terrain et je vais rejoindre le reste du groupe.

— Ne l'écoute pas, Henri, me murmure Janie. Je trouve que tu as fait un excellent saut.

— Merci, dis-je.

— Taisez-vous! hurle M. Dutonus. J'essaie de me concentrer!

M. Dutonus donne deux coups de sifflet, puis il s'élance.

Il fait un saut à cloche-pied, une foulée, saute et, plus impressionnant encore, atterrit sur ses pieds.

Il se relève et se retourne vers nous, les mains sur les hanches.

— Alors? demande-t-il.

Nous le regardons fixement.

— Alors? répète-t-il. J'aurais pensé que cela méritait au moins quelques applaudissements.

Nous nous mettons tous à applaudir.

Nous le craignons trop pour ne pas obéir.

M. Dutonus refait sa démonstration.

Puis une autre fois.

Et une autre fois encore.

Une demi-heure plus tard, les mains nous élancent à force d'applaudir.

— Je crois qu'ils ont compris comment le faire à présent, monsieur Dutonus, déclare M. Desméninges.

— Je vous le dirai lorsqu'ils auront compris comment le faire! s'exclame M. Dutonus en retournant à la ligne de départ pour exécuter un énième triple saut.

Je regarde Jacob qui est encore en train de courir.

Il est plié en deux, haletant, et il donne l'impression que chaque nouveau pas est son dernier.

Si seulement il savait à quel point il est chanceux.

Chapitre 8

Récapitulation

Une fois de retour en classe, M. Desméninges se plante à l'avant de la classe et secoue la tête.

— Vous comprenez, à présent? demande Gaëlle. Nous sommes nuls!

— Et M. Dutonus se comporte toujours ainsi? demande M. Desméninges.

— Ça dépend de la nullité de nos performances, répond Gaëlle. Aujourd'hui, il était plutôt de bonne humeur!

— Ça? De bonne humeur? répète M. Desméninges. J'ai peine à y croire! Depuis le temps que j'enseigne, je n'ai jamais... euh... oubliez ça. Bon, nous devons attaquer ce problème de front.

— Comment améliorer notre triple saut? demande Janie.

— Non, répond M. Desméninges.

— L'académie Ouest de Nordouest? suggère David.

— Non, répond M. Desméninges.

— M. C... C... Constrictor? bégaie Lucas, effrayé par le seul fait de prononcer son nom.

— Encore non, répond M. Desméninges.

Lucas hausse les épaules.

— Pas surprenant. Je manque toujours mon coup.

— C'est *ça*, le problème! s'écrie M. Desméninges.

Lucas prend un air choqué.

— Vous pensez que c'est Lucas, le problème? demande

Janie.

— Non, non, non, répond M. Desméninges. C'est plutôt ce que Lucas a dit : « Je manque toujours mon coup. » M. Dutonus semble mettre toute son énergie à vous convaincre que vous êtes tous une bande de perdants. Je crois qu'il n'y a rien qui cloche avec vous... ni avec le reste des élèves de l'école, d'ailleurs. En tout cas, rien qui ne puisse s'arranger avec une bonne dose d'estime de soi et de pensée positive.

— Je ne crois pas que ce soit ça le problème, dit Florence. Pour ma part, j'ai une très haute estime de moi-même. L'académie Ouest de Nordouest est tout simplement imbattable... et tout le problème est là!

— Non, Florence, réplique M. Desméninges. Même toi, tu pourrais avoir besoin d'encouragements! Dites-moi, à quoi ressemble la mascotte de l'école Sudest de Nordouest de Centreville?

— Nous n'en avons pas, dis-je.

— Vous n'en avez pas? répète M. Desméninges, son visage maintenant tout souriant. Eh bien, ne vous inquiétez plus! J'ai exactement ce qu'il vous faut!

— Quoi donc? dis-je.

M. Desméninges nous répond par un clin d'œil.

— C'est un secret, répond-il en tapotant son nez. Je l'apporterai demain.

C'est à ce moment que Jacob entre dans la classe en titubant. Il a une mine épouvantable après ses 50 tours de piste.

— Est-ce que j'ai raté quelque chose? demande-t-il.

— Non, répond M. Desméninges, incapable de contenir son enthousiasme. Pas encore!

Chapitre 9

Gros, jaune et en forme de banane

Le lendemain matin, nous sommes tous assis en classe à attendre l'arrivée de M. Desméninges.

Olivier lance des boulettes de papier mâchouillé sur les autres élèves.

Jacob travaille à une bande dessinée mettant en scène une boulette de papier mâchouillé géante qui ressemble étrangement à Olivier.

Lucas a l'air inquiet.

Janie est agenouillée à côté de son pupitre et le réconforte.

Gina et Paméla jouent avec leurs chevaux en peluche : elles tressent leurs crinières multicolores.

Soudain, la porte de la classe s'ouvre d'un coup sec.

— MINCE! hurle Lucas.

Une banane vient de franchir le seuil de notre classe.

Une grosse banane jaune qui *danse*.

Je sais que cela semble complètement fou, mais il n'y a pas d'autres façons de décrire cette chose.

Elle est grosse.

Elle est jaune.

Elle est en forme de banane.

Et elle danse.

C'est vraiment une grosse banane jaune qui danse.

Nous restons tous assis à la fixer. Enfin, tous sauf Lucas qui a plongé sous son pupitre.

Ce n'est pas tous les jours qu'une grosse banane jaune qui danse fait irruption dans la classe. Mais avant que David n'ait le temps d'ouvrir son manuel pour vérifier si les grosses bananes jaunes qui dansent sont admises dans l'école, la banane se lance dans une série de pirouettes arrière, de culbutes et de roues.

Elle fait la roue trois fois en avant de la classe, continue le long de la rangée de pupitres près des fenêtres, le long du fond de la classe, le long de l'autre côté, encore une fois en avant de la classe... puis tout droit par la fenêtre!

Tout le monde reste figé sur sa chaise, bouche bée.

Tout le monde, sauf Jacob.

— Est-ce qu'une grosse banane jaune qui danse vient de faire la roue tout autour de la classe et de tomber par la fenêtre? demande-t-il en se frottant les yeux.

— Je crois que oui, dis-je.

— Bien, dit-il, soulagé. Pendant un moment, j'ai cru que j'avais des hallucinations.

— J'ai peur, gémit Lucas depuis sa cachette sous son pupitre.

Je sais comment il se sent. La vue d'une banane géante m'a ramené en mémoire un lot de mauvais souvenirs... des souvenirs que j'aurais préféré oublier.

— Je n'y comprends rien, déclare Florence.

Voilà qui est inhabituel. Florence est tellement intelligente qu'il est très rare qu'elle ne comprenne rien à quelque chose. Elle ajoute :

— Qu'est-ce qu'une banane géante faisait dans notre classe? Et pourquoi faisait-elle la roue?

— Je ne savais même pas que les bananes pouvaient faire la roue, commente Gaëlle.

— Ou des culbutes, renchérit Guillaume.

— Nous devrions aller voir si elle va bien, dit Janie en se levant et en se rendant à la fenêtre.

Elle se penche par l'ouverture et appelle :

— Est-ce que ça va?

— Oui, je vais bien, merci, répond une voix venant d'en bas.

— C'est bizarre, constate Olivier. On dirait la voix de M. Desméninges.

— C'est parce que *c'est* M. Desméninges! répond Gaëlle.

— Mais que fait M. Desméninges dans un costume de banane? demande Lucas.

— Demandons-lui, dis-je.

— Monsieur Desméninges, pourquoi portez-vous un costume de banane? crie Janie.

— Ce n'est pas un simple costume de banane, répond M. Desméninges. Je vous présente la nouvelle mascotte de Sudest de Nordouest de Centreville!

Chapitre 10

Une mascotte motivante?

Une fois que M. Desméninges est revenu en classe et qu'il a retiré son costume, il nous explique tout.

— Je crois que ceci est la solution à vos problèmes sportifs, déclare-t-il en brandissant le costume. Une mascotte enthousiaste et motivante!

— Je peux comprendre qu'une mascotte aux couleurs vives puisse servir de rassembleur pour notre école et qu'elle puisse nous encourager et nous inspirer, concède Florence. Mais une banane?

— Oui, une banane, insiste M. Desméninges. Croyez-moi, rien ne sèmera plus la peur dans le cœur de l'adversaire que la vue d'une banane géante.

— C'est la confusion qu'elle va semer, à mon avis, commente Jacob.

— C'est encore mieux, affirme M. Desméninges. Un adversaire confus est un adversaire affaibli.

Chapitre 11

1re grande leçon de M. Desméninges

Rien ne sème plus la peur dans le cœur de l'adversaire que la vue d'une banane géante.

Chapitre 12

2e grande leçon de M. Desméninges

Un adversaire confus est un adversaire affaibli.

Chapitre 13

Qui veut jouer la banane?

— Vous aimez vraiment les bananes, n'est-ce pas, monsieur Desméninges? demande Janie.

— Comment ne pas les aimer? répond M. Desméninges. Elles ont une belle couleur vive et pimpante, elles sont faciles à peler et elles ont un goût formidable. En plus, elles sont bonnes pour la santé.

— Mais où avez-vous déniché un costume de banane? demande Gaëlle.

— Je l'ai trouvé! s'exclame M. Desméninges.

— Vous avez *trouvé* un costume de banane? répète Gaëlle.

— Oui! répond M. Desméninges avec un air radieux. Ça a été l'un des plus beaux jours de ma vie! J'ai trouvé le costume dans une flaque, alors que j'empruntais un raccourci à travers un terrain vacant. Je l'ai rapporté chez moi, je l'ai nettoyé et il est redevenu comme neuf. Mais je n'ai jamais compris pourquoi quelqu'un avait voulu se débarrasser d'un costume de banane en parfait état!

Moi, cependant, je le comprends très bien.

Je sais exactement comment il a abouti à cet endroit.

Et, pour dire la vérité, j'aurais préféré ne jamais le revoir.

M. Desméninges le brandit devant la classe.

— Alors, dit-il, qui veut jouer la banane et insuffler la

victoire à l'école Sudest de Nordouest de Centreville?

Nous nous regardons tous.

— Hum, fait M. Desméninges. Eh bien, pourquoi pas toi, Gaëlle?

— Non, nous ne pouvons pas nous priver de Gaëlle, explique David. Nous avons besoin d'elle pour le lancer du poids, du javelot et du disque.

— Dans ce cas, pourquoi pas toi, David?

— Oh non, monsieur, répond David. Je fais la course de longue distance et le saut en longueur. Je ne crois pas que je pourrais faire ces épreuves en costume de banane.

— En effet, reconnaît M. Desméninges en survolant la classe du regard. Paméla et Gina? Est-ce que l'une de vous deux serait intéressée?

— Non, monsieur Desméninges, répond Gina. Nous faisons la course de haies.

— Nos chevaux adorent la course de haies, ajoute Paméla.

— Guillaume? demande M. Desméninges.

— Saut à la perche, répond Guillaume.

— Janie?

— Course de relais, monsieur.

— Jacob?

— Hem, euh, répond Jacob, je dois me concentrer sur mon épreuve.

— Laquelle? demande M. Desméninges.

— Le triple saut, répond Jacob avec un visage parfaitement impassible.

Toute la classe éclate de rire.

Jacob esquisse un large sourire. Puis, pour détourner l'attention, il me demande :

— Pourquoi pas toi, Henri?

— Non, dis-je. Je ne peux pas.

— Participes-tu à une épreuve particulière? me demande M. Desméninges.

— Non, mais je dois rédiger un article pour la rubrique sportive du journal de l'école.

C'est un mensonge.

Bon, ce n'est pas tout à fait un mensonge : c'est la vérité, mais ce n'est pas toute la vérité. Il y a une autre raison pour laquelle je suis incapable d'incarner la mascotte-banane.

— Que se passe-t-il, Henri? demande Janie. Tu es tout rouge!

— Ah, vraiment? dis-je. C'est qu'il fait très chaud, ici...

— Mais les fenêtres sont grandes ouvertes! s'exclame Jacob.

— Ça, je peux en témoigner! lance M. Desméninges.

Chapitre 14

M. Desméninges éveille l'esprit d'école

— Alors, reprend M. Desméninges, personne ne veut jouer la mascotte-banane?

Il promène son regard sur la classe.

Personne ne se porte volontaire.

Surtout pas moi.

— Eh bien, dans ce cas, conclut-il avec un grand sourire, j'imagine qu'il ne reste plus que moi!

Malgré les efforts de M. Desméninges pour trouver un volontaire, j'ai le sentiment qu'il est plutôt content de renfiler le costume.

— Quelqu'un peut-il remonter la fermeture à glissière dans le dos? demande-t-il.

Janie bondit sur ses pieds et s'exécute. M. Desméninges se met aussitôt à chanter :

— Si tu aimes les bananes, tape des mains!

Personne ne tape des mains.

Nous nous contentons de le fixer.

Si vous n'avez jamais vu votre enseignant porter un costume de banane et chanter « Si tu aimes les bananes, tape des mains! », eh bien, laissez-moi vous dire que c'est un spectacle très étrange.

Mais le fait que nous restions plantés là à le fixer sans taper des mains ne semble affecter en rien l'enthousiasme de M. Desméninges.

— Si tu aimes les bananes, tape des mains! continue-t-il à chanter.

Il a l'air tellement ridicule que je finis par rire... et taper des mains. Janie m'imite. Puis Jacob.

— Si tu aimes les bananes, si tu aimes les bananes, si tu aimes les bananes, tape des mains! chante M. Desméninges à tue-tête.

Gaëlle et Lucas s'y mettent aussi, imités par Florence, David et Guillaume. Quand M. Desméninges reprend la chanson une deuxième fois, tout le monde sauf Olivier tape des mains.

— Savez-vous ce que j'adore aussi à propos des bananes? demande M. Desméninges après avoir chanté la chanson pour la troisième fois.

— Quoi donc? demande Jacob.

— Le mot est tellement amusant à épeler!

— J'adore l'épellation! s'exclame Florence, tout excitée.

M. Desméninges écrit le mot au tableau.

— Dites-le avec moi, ordonne-t-il en désignant chaque lettre pendant que nous la nommons.

— B, a, n, a, n, e, s.

— Bien! dit M. Desméninges d'une voix retentissante. Encore... mais plus fort, cette fois!

— B, A, N, A, N, E, S! hurlons-nous.

— C'EST ÇA! hurle M. Desméninges à son tour, en bondissant et en lançant son poing en l'air. ALLEZ, LES BANANES! Maintenant, levez-vous, tout le monde, et dites-le tous ensemble : B, A, N, A, N, E, S... ALLEZ, LES BANANES! B, A, N, A, N, E, S... ALLEZ, LES BANANES!

B, A, N, A, N, E, S... ALLEZ, LES BANANES!

Nous sommes maintenant tous debout, en train de sauter, de lancer notre poing en l'air et de hurler « B, A, N, A, N, E, S... ALLEZ, LES BANANES! » du plus fort que nous pouvons. Bon, d'accord, nous nous trompons allègrement dans l'épellation, mais chose certaine, personne ne peut douter du sentiment qui nous anime.

— C'est vraiment amusant! dit Janie.

— Je me sens super bien! ajoute Jacob.

— Moi aussi! renchérit Lucas qui, pour une fois, n'a pas l'air effrayé du tout.

— Tout ceci est contraire au règlement! crie David, couvrant le bruit ambiant.

Son manuel est ouvert devant lui et il désigne une page en particulier.

— À la section trente et un, le sous-paragraphe trois dit de manière spécifique qu'il est interdit de scander des slogans en classe.

— Oui, c'est INTERDIT! hurle Mme Malcommode qui se tient dans l'embrasure de la porte, les mains sur les hanches.

Mais en apercevant la banane géante qui danse, qui chante et qui désigne les lettres écrites au tableau, elle s'immobilise subitement sans même avoir dit à M. Desméninges de maîtriser sa classe et de cesser tout ce chahut.

— Madame Malcommode! s'écrie M. Desméninges. Auriez-vous l'amabilité de venir désigner les lettres à ma place? Voyez-vous, j'essaie de danser, et le fait de désigner les lettres me gêne vraiment dans mes mouvements et nuit à mon style.

Sur ces mots, il lui dépose la baguette dans la main et la pousse vers l'avant de la classe.

Au début, la pauvre Mme Malcommode est trop surprise pour faire autre chose que de rester plantée là et de montrer les lettres, mais au fur et à mesure que nous continuons à scander, une chose incroyable se produit. Mme Malcommode se radoucit, se détend, et les coins de sa bouche se mettent à trembler, à être agités de spasmes, puis à s'étirer jusqu'aux oreilles.

— Henri! crie Lucas avec une mine inquiète. Quelque chose ne va pas avec Mme Malcommode!

Je ris.

— Tout va bien, dis-je à Lucas pour le rassurer. Elle sourit, tout simplement.

Et peu de temps après, elle fait bien plus que cela. Elle chante, elle danse et elle scande avec nous.

S'il nous fallait une preuve supplémentaire du grand pouvoir du costume de banane de M. Desméninges, la vue de Mme Malcommode en train de lâcher son fou et de sourire en est une solide.

Mais ce n'est pas tout. D'autres preuves nous attendent.

Plusieurs autres.

Chapitre 15

L'arrivée de M. Barbeverte

Nous venons à peine de former une file derrière M. Desméninges pour danser la conga et parader en tapant du pied quand le directeur de l'école, M. Barbeverte, fait son entrée.

Il est vêtu d'un uniforme blanc très chic et ressemble davantage à un capitaine de bateau qu'à un directeur d'école.

Et il y a une bonne raison pour cela.

M. Barbeverte ne croit pas qu'il est un directeur d'école.

En réalité, il ne croit même pas que l'école est une école.

Il aime s'imaginer que l'école est un immense bateau, qu'il en est le capitaine, et que le personnel et les élèves sont tous des membres de l'équipage.

Le directeur reste planté là à essayer de comprendre la scène qu'il a sous les yeux : une banane géante et un groupe d'élèves — ainsi qu'une enseignante — se promènent autour de la classe à la queue leu leu, en tapant du pied, dans une danse de conga endiablée et très bruyante.

— Par tous les diables des mers, que se passe-t-il ici? finit-il par bafouiller.

La file de danseurs de conga s'immobilise.

— Bonjour, monsieur Barbeverte! lance M. Desméninges.

Voulez-vous danser la conga avec nous?

— Non, il n'en est absolument pas question, répond le directeur. Mais diable... qu'êtes-vous au juste ou qui êtes-vous?

M. Desméninges retire la tête du costume.

— C'est moi, dit-il.

M. Barbeverte cligne des yeux plusieurs fois.

— Desméninges? s'écrie-t-il.

— Oui! Je suis la nouvelle mascotte de l'école Sudest de Nordouest de Centreville!

— J'ai parcouru les sept mers pendant de nombreuses années, et vu et entendu bien des choses étranges, déclare le directeur, mais jamais je n'ai vu ni entendu parler d'une mascotte-banane.

— Bien sûr que non, répond M. Desméninges. Et c'est pourquoi elle sera aussi efficace! Elle sèmera une énorme confusion chez les élèves de l'académie Ouest de Nordouest.

Les yeux de M. Barbeverte s'illuminent.

— Et un adversaire confus est un adversaire affaibli!

— Vous lisez dans mes pensées, monsieur le directeur! approuve M. Desméninges. Alors, qu'en dites-vous?

Le directeur caresse son menton.

— Mmmm, fait-il pensif, vous avez peut-être raison, Desméninges. Il n'y a aucun doute qu'en matière de sport, voilà un bon moment que Sudest de Nordouest de Centreville vogue en plein marasme. Et nous allons tous à la dérive... Peut-être qu'une mascotte-banane est en plein ce qu'il nous faut pour éliminer le scorbut!

Chapitre 16

Le retour de Fred et d'Olivier

Durant l'heure du dîner, Gaëlle, Lucas, Janie, Jacob et moi sommes assis à notre endroit préféré, à l'ombre, juste à côté du terrain de basket-ball. Nous discutons des événements de la matinée lorsque Fred et Olivier arrivent.

— Votre enseignant est un fou, déclare Fred.

— Non, c'est faux, réplique Jacob. Il est une banane.

— Désolé, dit Fred. Je me suis trompé. C'est un fou en forme de banane.

— Bien dit, Fred, se réjouit Olivier en donnant une tape dans le dos de son frère.

— Si vous croyez que votre enseignant déguisé en banane va suffire à nous aider à battre l'académie Ouest de Nordouest, vous vous trompez, reprend Fred. Nous n'avons aucune chance contre eux, et vous le savez très bien.

— Au moins, il essaie de changer cette situation, fait remarquer Gaëlle.

— Il peut essayer autant qu'il veut, réplique Fred, mais l'école Sudest de Nordouest de Centreville ne vaincra jamais l'académie Ouest de Nordouest. Jamais en un million d'années... pas même avec un million de mascottes-bananes.

— Hé! voilà une super idée! s'écrie Jacob. Un million de mascottes-bananes! Imaginez!

— Tu peux imaginer toutes les mascottes-bananes que tu veux, Lepitre, dit Fred. Imagine-nous en train de gagner, pendant que tu y es. Parce que, de toute façon, le seul endroit où une chose pareille peut arriver… c'est dans ta tête!

— Pourquoi es-tu aussi négatif? demande Janie. Tu n'aimerais pas nous voir gagner?

— Bien sûr que oui, lâche Fred en haussant les épaules. Mais nous n'y arriverons jamais. Nous n'affrontons pas seulement l'académie Ouest de Nordouest : nous affrontons aussi… le Boa.

Je roule les yeux.

— On ne peut pas vaincre le Boa, affirme Olivier. Nous avons visionné tous ses combats. Mon père a un coffret de vingt DVD intitulé *Les plus grands lutteurs de toute l'histoire du monde entier* et le Boa apparaît sur dix-neuf d'entre eux. Cet homme est une légende.

— Ah, ouais? dit Jacob. Dans ce cas, s'il est une légende, pourquoi a-t-il été renvoyé de la Fédération internationale de lutte?

Fred se renfrogne et désigne Jacob avec colère.

— Ce n'était pas sa faute. C'était un coup monté. C'est l'arbitre qui l'a attaqué.

— Ah, vraiment? Ce n'est pas ce que j'ai entendu, répond Jacob.

— Qu'as-tu entendu? demande Fred.

— Que c'est lui qui avait commencé, répond Jacob.

— Eh bien, tu as mal entendu, réplique Fred. Et si tu commences à répéter ça à gauche et à droite, tu vas le regretter.

— Pourquoi ça? Que vas-tu faire? demande Gaëlle sur

un ton de défi. Le dire au Boa?

Nous éclatons tous de rire.

Enfin, tous sauf Fred et Olivier.

— Ça se pourrait bien, répond Fred en tournant les talons et en s'éloignant.

— Ouais, renchérit Olivier en trottant derrière lui. Ça se pourrait bien.

Chapitre 17

Le podium des vainqueurs

Même si maintenant, nous avons une mascotte, nous devons encore assister à nos cours habituels d'éducation physique. Le lendemain matin, nous sommes à nouveau assis dehors sur la pelouse pendant que M. Dutonus fait l'appel.

Quand il a terminé, il dépose sa planchette à pince et nous fixe de ses yeux exorbités.

— Au cas où vous l'auriez oubliée, la compétition interscolaire d'athlétisme de Nordouest a lieu vendredi prochain.

Évidemment, aucun de nous n'a oublié que la compétition interscolaire d'athlétisme de Nordouest a lieu vendredi prochain.

— Bon, poursuit M. Dutonus, dans l'éventualité improbable où l'un de votre bande de nuls remporterait une épreuve ce jour-là, je vais vous montrer comment vous tenir sur le podium des vainqueurs sans tomber. Est-ce que l'un d'entre vous sait au moins ce qu'est le podium des vainqueurs?

Florence lève la main.

— C'est une plateforme composée de trois marches de hauteurs différentes, monsieur. Le vainqueur grimpe sur la marche la plus haute, celle du centre. L'athlète qui a obtenu la deuxième place monte sur une marche un peu plus basse, à la droite du vainqueur, et celui qui a obtenu la troisième place monte sur la marche la plus basse, à la gauche du vainqueur. C'est comme le truc qui est derrière vous, monsieur.

— Très bien, Florence, dit M. Dutonus. Quel dommage que tes jambes ne fonctionnent pas aussi vite que ton cerveau.

Florence affiche une mine scandalisée, mais elle n'ose pas répliquer quoi que ce soit.

M. Dutonus continue son discours.

— Bon, vous pensez peut-être que monter sur un truc pareil est un jeu d'enfant, mais ce n'est pas aussi facile que ça en a l'air. Même quelqu'un d'aussi habitué que moi peut trébucher à l'occasion. Je me souviens d'un jour où j'avais gagné la médaille d'or dans une épreuve quelconque — c'est arrivé tant de fois que j'ai peine à me souvenir de toutes...

Je roule les yeux. Ça y est, M. Dutonus est reparti dans une de ses histoires relatant ses exploits sportifs du passé.

— ... et à l'instant même où je montais sur la marche, les clameurs de la foule m'ont momentanément désorienté et j'ai trébuché. Par chance, grâce à mes excellents réflexes et à mon incroyable sens de l'équilibre, j'ai réussi à me reprendre presque aussitôt, évitant ainsi de transformer un triomphe sportif en un fait cocasse et bête, juste bon pour les émissions de bévues sportives.

Olivier se met à rire.

— J'ai dit quelque chose de drôle, Rustaud? demande M. Dutonus.

— J'aime bien les émissions de bévues sportives, répond Olivier, qui glousse toujours.

— Eh bien, cela ne me surprend pas, répond M. Dutonus. Les émissions de bévues sportives sont remplies de bozos qui font des bêtises pour divertir d'autres bozos.

Olivier cesse aussitôt de rire.

— Je vais dire à mon frère que vous avez dit ça, marmonne-t-il.

M. Dutonus fait comme s'il n'avait rien entendu.

— Alors, comme aucun de vous n'a mes excellents réflexes ni mon sens de l'équilibre parfaitement développé, vous allez vous exercer à monter sur le podium des vainqueurs et à vous y tenir debout sans tomber.

Il regarde à la ronde, en quête d'une bonne victime.

— Latrouille, vas-y le premier.

Lucas a une mine inquiète.

— Je préférerais ne pas y aller, monsieur, dit-il. J'ai le vertige.

— Raison de plus pour monter là-dessus, réplique M. Dutonus. La peur est ton ennemi! Anéantis-la! Force-la à la soumission. Montre-lui qui est le patron.

— Pourquoi vous en prenez-vous toujours à Lucas? demande Janie.

— Mais je ne m'en prends pas toujours à lui, proteste M. Dutonus. Je lui offre une chance de devenir un vainqueur.

— Est-ce que je peux me contenter de monter sur une des marches les plus basses, s'il vous plaît? demande Lucas en désignant la troisième marche.

— Sûrement pas, répond M. Dutonus. La troisième marche n'est pas celle des vainqueurs.

— Et la seconde? demande Lucas.

— Non! La seconde place, c'est juste une autre façon de nommer le premier perdant, réplique M. Dutonus. Monte là-haut, mon garçon. Montre-moi que tu n'es pas aussi pathétique que tu en as l'air.

Lucas se lève, mais il n'est pas très stable sur ses jambes. Janie lui serre la main.

— Vas-y, Lucas, dit-elle. Tu peux y arriver.

Lucas s'avance avec hésitation vers le podium et se plante devant. Puis il place son pied droit sur la deuxième marche et y grimpe. Il reste là, les genoux tremblants.

— Je crois que je vais saigner du nez. C'est l'altitude.

— C'est ridicule, mon garçon... Monte sur l'autre marche, dit M. Dutonus.

Lucas pose son pied gauche sur la marche du vainqueur.

— Je ne veux pas le faire, monsieur, gémit-il. Je ne peux pas...

— Tu vas le faire! s'impatiente M. Dutonus. Tout de suite!

Lucas obéit. Il grimpe sur la plus haute marche et se tient là, tout tremblant.

— Comment te sens-tu? demande M. Dutonus.

— Étourdi, répond Lucas.

— Pas étonnant, réplique M. Dutonus. La victoire est une expérience grisante, n'est-ce pas? Goûte-la. Fais-la tienne. Savoure-la!

Lucas se met à vaciller.

Janie se penche vers moi et me murmure à l'oreille :

— Je trouve que M. Dutonus est un tyran.

Au même moment, une grosse banane jaune qui danse traverse le terrain en venant vers nous.

M. Dutonus détourne son attention du podium et la regarde, l'air hébété.

— Sapristi! Qu'est-ce que c'est que ça? lâche-t-il.

Chapitre 18

Allez, les bananes!

— On dirait bien que M. Desméninges s'en vient nous encourager, dis-je à Janie.

— Je me sens déjà mieux, répond Janie, son visage s'épanouissant aussitôt.

M. Desméninges termine son entrée en enfilant une spectaculaire série de sauts périlleux et atterrit au sol en faisant le grand écart.

M. Dutonus reste planté là.

L'air hébété.

Je ne l'ai jamais vu aussi déconcerté.

Ensuite, M. Desméninges bondit sur ses pieds et se met à scander un cri d'encouragement.

— B, A, N, A, N, E, S! Allez, les bananes!

Il se déplace autour de nous, nous encourageant à entrer dans la danse. Nous nous rappelons le plaisir que nous avons eu la veille et nous nous joignons aussitôt à lui.

— B, A, N, A, N, E, S! Allez, les bananes! scandons-nous. B, A, N, A, N, E, S! Allez, les bananes!

Il faut quelques minutes à M. Dutonus pour bien saisir ce qui se passe.

Mais quand c'est fait, il n'est pas de bonne humeur.

À vrai dire, il fait une tête comme s'il allait piquer une colère noire.

— Arrêtez-moi ce cirque tout de suite! hurle-t-il à notre intention avant de s'adresser à M. Desméninges. Que signifie cette interruption de mon cours?

M. Desméninges retire la tête du costume de banane.

— Ce n'est pas une interruption, corrige-t-il. Je suis la nouvelle mascotte de l'école Sudest de Nordouest de Centreville. Je suis ici pour encourager l'équipe et pour motiver les élèves.

— Vous m'encouragez plutôt à vous donner un bon coup de pied dans le derrière qui vous ramènera droit au vestiaire si vous ne déguerpissez pas tout de suite! gronde alors M. Dutonus.

— Allons, soyez raisonnable, monsieur Dutonus, dit M. Desméninges. Je me suis entraîné toute la nuit pour ça.

— Et moi, je me suis entraîné toute ma vie pour ceci, réplique M. Dutonus en se ruant sur M. Desméninges, prêt à mettre sa menace à exécution.

Janie bondit sur ses pieds.

— Non! s'écrie-t-elle. Laissez-le tranquille, monsieur Dutonus. Nous avons besoin de lui.

— Nous avons besoin d'une banane géante? répète M. Dutonus. Un peu de sérieux!

— Mais, c'est *très* sérieux! s'écrie M. Desméninges. Toutes les équipes sportives ont une mascotte. L'équipe de soccer de Nordouest a un grizzli comme mascotte. L'équipe de hockey de Nordouest a un aigle comme mascotte. Et l'équipe de basket-ball professionnelle de Nordouest a un poulet géant comme mascotte.

En entendant parler de l'équipe de basket-ball professionnelle de Nordouest, M. Dutonus se radoucit et se met à hocher la tête.

— Hummm, dit-il en se frottant le menton, c'est vrai...

— Même l'académie Ouest de Nordouest a une mascotte, ajoute Gaëlle. Punk, le chien de M. Constrictor.

— C'est bon, c'est bon, dit M. Dutonus. Mais une banane géante, c'est tout simplement ridicule.

— Rien ne sème plus la peur dans le cœur de l'adversaire que la vue d'une banane géante, déclare M. Desméninges. Et puis, ce n'est sûrement pas plus ridicule qu'un poulet géant!

M. Dutonus se tourne vers lui.

— Je ne supporterai pas que quiconque dise du mal de l'équipe professionnelle de Nordouest! Elle fait partie des meilleures équipes de basket-ball au monde! Et j'aurais pu être leur meilleur entraîneur à vie. Si seulement...

C'est à ce moment que je remarque que Lucas est toujours debout sur la plus haute marche du podium, qu'il est très pâle et chancelant.

— Monsieur Dutonus, dis-je.

Mais M. Dutonus a encore le regard perdu dans le vide et il répète :

— Si seulement... Si seulement...

Je répète, plus fort cette fois :

— Monsieur Dutonus!

Mais il est trop tard. Lucas vacille de plus en plus, puis il tombe la tête la première du podium. Il se redresse aussitôt, l'air abasourdi.

Janie accourt pour l'aider.

Le bruit sourd qu'a produit Lucas en heurtant le sol a sorti M. Dutonus de sa rêverie. Il lève les yeux.

— Oh, bonté divine! lâche-t-il en mettant les mains sur ses hanches. Lucas Latrouille, tu me fais perdre mon temps... et celui de tout le monde.

Puis il se tourne vers M. Desméninges et ajoute :

— Et vous aussi.

— Ce n'est pas ainsi que M. Barbeverte voit les choses, réplique M. Desméninges. Il trouve que c'est une bonne idée d'avoir une mascotte-banane et il m'a déjà accordé la permission de la jouer le jour de la compétition.

M. Dutonus devient rouge de colère.

— Ah, vraiment? Il a dit ça? rugit-il. En tout cas, vous N'AVEZ PAS la permission d'interrompre mon cours avec vos singeries bizarres!

— Je suis désolé que vous le preniez ainsi, monsieur Dutonus, dit M. Desméninges. À titre de collègue enseignant, je respecte tout à fait votre droit de donner votre cours comme bon vous semble. Mais si jamais vous avez besoin de moi...

— Merci beaucoup, répond M. Dutonus sur un ton sarcastique, mais s'il m'arrivait un jour d'être désespéré au point d'avoir besoin de vous appeler à l'aide, je... je... en fait, je ne serai JAMAIS désespéré À CE POINT! Au revoir... et bon débarras!

M. Desméninges hausse les épaules.

— Comme vous voulez, monsieur Dutonus, répond-il tristement.

Il remet la tête de banane sur la sienne et traverse lentement le terrain en sens inverse, en traînant les pieds.

Il est déçu, mais pas vaincu.

Loin de là.

Chapitre 19

Un autre cours d'éducation physique bien ordinaire

Malgré les efforts de M. Desméninges pour nous motiver, le reste du cours d'éducation physique ressemble pas mal aux cours habituels.

Jacob est de nouveau forcé de faire 50 tours de piste à la course pour avoir essayé de grimper jusqu'en haut du podium des vainqueurs en sautant comme un lapin. J'ai aussi été forcé de faire cinquante tours pour avoir ri en voyant Jacob essayer de grimper jusqu'en haut du podium des vainqueurs en sautant comme un lapin.

Plus tard, durant la course de relais, Janie s'arrête pour venir en aide à l'autre équipe, l'une des coureuses ayant échappé le témoin et causé un carambolage impliquant huit élèves.

Gaëlle échappe un poids sur ses orteils.

Guillaume casse une perche en deux.

Olivier lance un javelot vers les chevaux imaginaires de Paméla et de Gina, ce qui les fait pleurer. (Paméla et Gina, bien sûr, pas les chevaux.)

Le cours se termine sur une colère de M. Dutonus. Il oblige tout le monde à faire 50 tours de piste à la course. Tout le monde sauf Gaëlle, qui doit aller voir Mme Petitsoins à l'infirmerie et qui en revient avec dix bandages : deux par orteil.

Chapitre 20

Attaque aux œufs!

Le lendemain matin, nous entrons tous clopin-clopant dans la cour d'école, chacun souffrant de maux plus ou moins douloureux. Les jambes m'élancent après tous ces tours de piste, Janie a une grosse ecchymose sur un bras, à l'endroit où Olivier est tombé, et Gaëlle marche avec des béquilles.

— Qu'allons-nous faire? s'inquiète Janie. La situation est pire que jamais!

— Pas aussi pire qu'elle le sera bientôt! dit Lucas, les yeux écarquillés par la peur.

— De quoi parles-tu? demande Janie. Comment les choses pourraient-elles être pires?

Janie reçoit la réponse à sa question sous la forme d'un œuf lancé par une fenêtre de l'autobus de l'académie Ouest de Nordouest, lequel semble être sorti de nulle part.

L'œuf heurte Janie à l'épaule et répand son contenu collant partout sur sa robe.

— Bonjour, les nuls! hurle Tommy Glou, des œufs plein les mains, et le haut du corps sortant par la fenêtre. Debout! Réveillez-vous!

— Attaque aux œufs! crie Jacob. Courez!

Mais nous sommes tous soit trop souffrants, soit trop blessés pour courir et, de toute façon, c'est trop tard.

Après celui de Janie, cinq autres œufs sont projetés hors de l'autobus : un pour chacun de nous et un deuxième en prime pour Janie.

C'est injuste.

S'il y a une personne à l'école qui ne mérite pas qu'on lui lance un œuf — et encore moins deux —, c'est bien Janie Ladouceur. Janie est le genre de personne qui passe ses journées entières à penser aux autres... et à prendre soin d'eux. Dans toute l'école, il n'y a personne de plus gentil ni de plus attentionné qu'elle. Mais, les élèves de l'académie Ouest de Nordouest s'en fichent pas mal. C'est dire à quel point ils sont méchants. Comme le reste de notre bande, Janie reste plantée là, couverte de cette substance « ovisqueuse » épaisse et transparente qui lui dégouline dessus.

J'essuie le jaune d'œuf qu'il y a dans mes yeux et je regarde l'autobus cracheur de fumée descendre la rue à toute vitesse en jurant de me venger.

J'ignore comment je vais faire cela... je sais seulement que je vais le faire.

Je vais faire regretter aux élèves de l'académie Ouest de Nordouest d'avoir lancé des œufs à Janie Ladouceur.

Je vais même faire regretter aux élèves de l'académie Ouest de Nordouest d'être en vie.

Ou mon nom n'est pas Henri Tournelle.

Et c'est mon nom... Ma vengeance va donc assurément se produire.

Je ramasse mon sac et celui de Janie.

— Venez, dis-je à tout le monde. Rentrons et allons nous nettoyer.

Mais nous n'avons pas fait un pas que Fred et Olivier arrivent.

— Quelle belle bande de nuls vous faites! s'esclaffe

Fred.

— Bien dit, Fred, ajoute Olivier.

— Nous ne sommes pas des nuls, dis-je.

— Je me suis trompé, reprend Fred. Vous êtes une belle bande d'omelettes nulles! Voilà ce que vous êtes!

Chapitre 21

Le Programme Desméninges d'excellence dans le sport

Nous entrons en classe la mine basse, tout enduits d'œufs.

— Je vais chercher le Super Séchoir 3000! s'écrie Guillaume en bondissant sur ses pieds et en s'élançant vers son casier.

— NON! crions-nous d'une seule voix en nous imaginant couverts de morceaux d'œufs frits.

À ce moment, M. Desméninges entre dans la classe. Il s'arrête net et nous dévisage.

— Que vous est-il arrivé? demande-t-il.

Nous lui racontons la dernière attaque sournoise des élèves de l'académie Ouest de Nordouest. Puis nous lui relatons la fin de notre cours d'éducation physique d'hier après-midi, après que M. Dutonus l'a envoyé promener.

— J'aurais aimé que M. Dutonus vous permette de rester et de nous encourager, déclare Janie. Je suis certaine que nous aurions été meilleurs si vous aviez été là.

— Probablement pas, réplique Jacob. Soyons réalistes. Nous sommes tout simplement nuls en sport. Nous n'avons même pas réussi à éviter quelques œufs.

— Ce n'est pas vrai, proteste M. Desméninges. Tout le monde a du talent… même vous, 5B. C'est juste que vous n'en avez pas encore pris conscience… Et tant que ce ne sera pas fait, vous ne pourrez pas le développer!

— Que voulez-vous dire? demande Janie.

— C'est certain qu'une mascotte est un excellent moyen de vous encourager, mais il est tout aussi important d'avoir confiance en vos propres habiletés... Je crois qu'il est temps de vous mettre tous au Programme Desméninges pour l'excellence dans le sport.

— Ne me dites pas que nous allons devoir retourner dehors, gémit Lucas.

— Je suis encore fatiguée d'hier, soupire Paméla.

— Je suis couvert d'œuf, se plaint Jacob.

— Du calme, dit M. Desméninges en riant. Nous n'avons pas besoin d'aller dehors. Une étude récente a démontré qu'en sport, le succès a plus à voir avec l'esprit qu'on ne l'avait jamais soupçonné. En vérité, vous pouvez vous améliorer davantage en restant ici, assis à vos pupitres, que vous ne pourriez le faire sur le terrain.

— Ça semble difficile à croire, déclare David.

— Je suis sceptique, poursuit Janie. Ma mère dit que c'est en forgeant qu'on devient forgeron.

— Et elle a raison, répond M. Desméninges, mais une étude récente prétend que d'exercer un talent dans sa tête peut être tout aussi efficace — sinon plus — que de l'exercer pour vrai, avec son corps.

— Comment ça? demande Janie.

— Eh bien, explique M. Desméninges, dans cette étude, on a évalué deux groupes de joueurs de basket-ball. Les joueurs du premier groupe s'entraînaient en jouant au basket 30 minutes chaque jour. Les joueurs du second groupe s'entraînaient en imaginant qu'ils jouaient au basket 30 minutes chaque jour. Au bout d'un mois, comme on s'y attendait, les joueurs du premier groupe ont démontré une nette amélioration de leurs talents au basket. Mais ce à quoi on ne s'attendait pas du tout, c'est que les joueurs du second groupe, ceux qui s'étaient exercés mentalement, se sont améliorés encore plus! Les chercheurs qui menaient l'étude ont été forcés de conclure que le pouvoir de l'esprit est plus grand que celui du corps.

— Mais nous n'affrontons pas l'académie Ouest de Nordouest au basket! lance Olivier. C'est une compétition d'athlétisme!

— C'est du pareil au même, répond M. Desméninges. Peu importe le sport... on utilise toujours le même cerveau.

— Oh! Dans ce cas, ça va être difficile pour Olivier, fait remarquer Jacob. Étant donné qu'il n'en a pas.

— Je vais dire à mon frère que tu as dit ça, menace Olivier.

— À vrai dire, Olivier, poursuit Jacob, c'est ton propre frère qui m'a dit que tu n'avais pas de cerveau.

Olivier prend un air perplexe.

— Ça suffit, intervient M. Desméninges. Il y a des façons plus brillantes d'utiliser son cerveau que de s'en servir pour accuser quelqu'un de ne pas en avoir.

— C'est la vérité! s'exclame Jacob. Une étude récente de l'intérieur de la tête d'Olivier a révélé qu'elle était complètement vide.

— C'est faux! s'écrie Olivier.

— Olivier! Jacob! lance M. Desméninges. Allons! Nous n'avons pas de temps à perdre avec ça. La compétition a lieu vendredi. Si nous voulons que Sudest de Nordouest de Centreville ait une véritable chance de gagner, nous devons nous mettre au travail tout de suite. Redressez-vous, tout le monde, et fermez les yeux.

Chapitre 22

Un peu de représentation mentale

Nous nous redressons et nous fermons les yeux.

M. Desméninges se met à parler d'une voix très basse et apaisante.

— Imaginez que vous êtes sur la piste. Vous êtes accroupis sur la ligne de départ. Vous sentez la surface spongieuse de la piste à travers les semelles de vos souliers de course. Vos doigts effleurent le sol. Les muscles de vos jambes sont tendus comme de puissants ressorts. De l'électricité circule dans tout votre corps. Les clameurs de la foule parviennent jusqu'à vos oreilles. La sueur de vos adversaires parvient jusqu'à votre nez.

— Ouache! laisse échapper Janie.

— Vous sentez le soleil qui frappe votre nuque...

— Aïe! Ça brûle, dit Lucas.

— Non, ça ne brûle pas, continue M. Desméninges de sa voix apaisante, car vous avez appliqué une lotion solaire juste avant de quitter le vestiaire.

— Quel est le facteur de protection solaire de la lotion? demande Lucas. Je ne crois pas que ça fonctionne.

— FPS 30, répond M. Desméninges.

— J'ai besoin d'un FPS 50, réplique Lucas. Ma peau est très sensible.

— Dans ce cas, c'est du 50, répond M. Desméninges en

soupirant.

— Merci, dit Lucas.

— Soudain, le pistolet de départ retentit, reprend M. Desméninges. Vous vous élancez. Vous courez aussi vite que le vent. Vos jambes s'activent comme des pistons. Vos bras s'activent comme… euh… hum… des pistons. Vous regardez autour de vous. Vos adversaires sont loin derrière. Vous sentez le fil d'arrivée se briser contre votre torse. Vous grimpez sur le podium des vainqueurs…

— Est-ce que je peux rester sur la deuxième marche, s'il vous plaît? demande Lucas.

— Non, tu dois monter sur la plus haute marche, Lucas, insiste M. Desméninges. Tu as remporté la course!

— Mais c'est trop haut sur la dernière marche, proteste Lucas.

— Je suis désolé, Lucas, dit M. Desméninges, mais dans le cadre du Programme Desméninges pour l'excellence dans le sport, tu es un vainqueur, et les vainqueurs ont un excellent équilibre ainsi que des nerfs d'acier. Fais-moi confiance.

— Je veux bien essayer, répond Lucas.

— Bien, continue M. Desméninges. Alors… maintenant que nous avons mis cela au clair, vous montez sur le podium et vous grimpez jusque sur la plus haute marche.

— Je le fais! s'écrie Lucas, tout excité. Je le fais pour vrai!

— Tant mieux pour toi, Lucas, le félicite M. Desméninges. Tant mieux pour vous tous. Vous êtes tous debout sur la plus haute marche du podium.

— N'est-ce pas un peu dangereux que nous soyons tous debout sur la même marche? demande Florence.

— Non, répond M. Desméninges. Chacun de vous est debout sur son propre podium.

— Comment ça? demande David. Chacun de nous a gagné la course? Nous sommes donc tous arrivés premiers?

— Oui! répond M. Desméninges avec enthousiasme. Il n'y a pas de perdants dans le Programme Desméninges pour l'excellence dans le sport. Vous êtes tous des vainqueurs. Chacun de vous. Vous inclinez la tête et sentez le poids de la médaille d'or qu'on vous passe autour du cou. Vous vous tournez vers la foule et vous levez votre poing droit en l'air. Les clameurs montent de la foule. Vous vous sentez formidables et puissants. Il n'y a personne qui vous résiste.

— Sauf les élèves de l'académie Ouest de Nordouest, dit Jacob.

— Non, Jacob, reprend M. Desméninges avec patience. Même les élèves de l'académie Ouest de Nordouest ne peuvent pas vous résister.

M. Desméninges repasse toutes les épreuves avec nous.

Pour la course de haies, il nous demande d'imaginer que nous sommes des chevaux qui participent à la course d'obstacles annuelle de Nordouest. Nous volons littéralement par-dessus les obstacles comme des pur-sang, avec force et rapidité, le pied toujours sûr.

Nous lançons les poids comme si nos bras étaient des canons à longue portée.

Nous projetons les disques jusqu'à l'autre bout du terrain comme s'ils étaient aussi légers que des disques volants en plastique.

Nous propulsons les javelots comme si nous étions des chasseurs primitifs dont la survie dépend de leur précision et de leur habileté.

Nous sautons à la perche comme si nous étions des prisonniers désespérés risquant une ultime tentative pour franchir les murs d'Alcatraz.

Nous courons sur de longues distances comme si nous étions pourchassés par des animaux sauvages mangeurs d'hommes.

Nous réussissons même le triple saut comme si le sol sous nos pieds était couvert de lave rouge et brûlante.

Et nous gagnons!

Nous gagnons toutes les épreuves, les unes après les autres.

Rien ne peut nous arrêter!

Chapitre 23

Les bananes

Au cours des deux jours qui suivent, nous continuons à mettre en pratique le Programme Desméninges pour l'excellence dans le sport le matin, après le dîner et juste avant la fin de la journée.

Et quand nous ne sommes pas en train de faire de la représentation mentale, nous nous instruisons au sujet des bananes.

Bon, nous savions déjà que M. Desméninges aime les bananes. Après tout, par le passé, il a déjà consacré une leçon entière à nous enseigner comment manger une banane. Mais à présent, ça commence à friser le ridicule. Depuis qu'il porte le costume de banane, il est question de bananes dans toutes nos leçons.

M. Desméninges est debout devant la classe, vêtu de son costume de banane.

— Eh bien, 5B, déclare-t-il, je crois qu'il est temps d'apprendre de nouvelles choses au sujet des bananes. Saviez-vous que les bananes poussent en grappes que l'on appelle régimes?

Nous secouons tous la tête... sauf Florence.

— Je le savais, dit-elle.

— Très bien, Florence, dit M. Desméninges. Savais-tu aussi qu'on cultive les bananes dans au moins 107 pays?

Florence ouvre de grands yeux.

— Non, je l'ignorais! s'exclame-t-elle en se hâtant de noter l'information.

M. Desméninges poursuit :

— Et saviez-vous qu'il existe une variété de bananes appelée doigt de dame qu'on ne mange pas lorsqu'elle est jaune, mais seulement lorsqu'elle est noire?

Je grogne et pose ma tête sur mon pupitre.

— Qu'est-ce qu'il y a, Henri? demande M. Desméninges.

Je le supplie :

— Pourrions-nous apprendre autre chose que des faits concernant les bananes, s'il vous plaît?

M. Desméninges fronce les sourcils, puis sourit.

— Bien sûr, dit-il. À quoi penses-tu? Aimerais-tu faire un peu de maths?

Je m'exclame :

— Oui!

Ce qui prouve bien à quel point je suis désespéré.

— C'est d'accord, dit-il. Alors, si j'ai deux bananes à cuire dans cette main et trois bananes à dessert dans l'autre main, combien ai-je de bananes en tout?

Je proteste :

— Ce ne sont pas des maths. C'est encore une histoire de bananes!

— Je suis désolé, reconnaît M. Desméninges avec un petit air peiné. C'est que les bananes sont tellement intéressantes. Mais tu as peut-être raison, Henri. J'ai sûrement trop limité mon enseignement, ces derniers temps. Nous avons trop de choses à apprendre pour nous arrêter aux bananes. Il y a le plantain, par exemple, qui s'apparente beaucoup à la banane...

Et le voilà reparti.
Et il parle.
Et il parle.
Et il parle.

Chapitre 24

Palmarès de M. Desméninges des 10 choses les plus importantes à savoir au sujet des bananes

1. Les bananes poussent en grappes qu'on appelle régimes.
2. Les bananes ont la propriété de faire disparaître les verrues.
3. Les bananes sont les fruits les plus susceptibles de se retrouver dans un gâteau aux bananes.
4. Les bananes sont les fruits qui ont le nom le plus amusant à épeler à voix haute.
5. Les bananes sont les fruits les plus utilisés par les humoristes.
6. Les bananes sont très tranquilles. Ce sont assurément les plus calmes de tous les fruits.
7. Les bananes sont les fruits les plus susceptibles d'être oubliés dans le fond d'un sac à dos.
8. Les bananes sont les fruits les plus susceptibles d'être utilisés pour imiter un téléphone.
9. Dans les blagues, on retrouve les bananes plus souvent que n'importe quel autre fruit. Exemple :
   Personne A : — Tu as une banane dans l'oreille.
   Personne B : — Quoi?

Personne A : — J'ai dit : « Tu as une banane dans l'oreille. »

Personne B : — Pardon?

Personne A : — TU AS UNE BANANE DANS L'OREILLE!!!

Personne B : — Désolé, je n'entends vraiment pas ce que tu dis parce que, vois-tu, j'ai une banane dans l'oreille.

10. La banane a été consacrée « fruit le plus populaire » lors d'un récent sondage effectué auprès des lecteurs du mensuel *Primatagogo*.

Chapitre 25

Le cours d'arts plastiques

Après cela, la situation dégénère.

M. Desméninges se met à porter le costume de banane en tout temps.

Au début, il le portait seulement lors des séances de représentation mentale, mais à présent, il le porte toute la journée.

Et il persiste à nous enseigner plein de trucs au sujet des bananes.

Nous apprenons l'histoire des bananes.

Nous additionnons des bananes.

Nous lisons des histoires de bananes.

Nous nous prenons pour des bananes.

Mercredi matin, nous n'avons qu'une d'envie : aller au cours d'arts plastiques. Mme Pastel ne parle jamais des bananes.

Vous pouvez donc imaginer notre surprise — et notre déception — lorsque nous arrivons au local d'arts plastiques et qu'une banane géante vêtue d'un sarrau nous accueille à la porte.

— Bonjour, 5B! s'écrie joyeusement M. Desméninges.

— Monsieur Desméninges? dis-je, déconcerté. Que faites-vous ici?

— Eh bien, dit M. Desméninges, Mme Pastel est malade aujourd'hui. Elle m'a demandé de la remplacer et de donner le cours à sa place.

Jacob, Janie, Gaëlle, Lucas et moi échangeons un regard. Nous sommes tous bouche bée.

— Monsieur Desméninges, dit Jacob, je ne voudrais pas être impoli, mais sera-t-il question de bananes dans ce cours?

— Bien sûr que non, répond M. Desméninges. C'est un cours d'arts plastiques!

— Et vous n'avez pas l'intention de nous faire dessiner des bananes? demande Gaëlle.

— Non, pas de dessin de bananes, répond notre enseignant. Je le promets... à moins que vous ne le réclamiez, bien sûr.

— Non! s'empresse de répondre Gaëlle.

— Et nous ne fabriquerons pas non plus de bananes en papier mâché, en terre glaise ou en bâtonnets de bois? demande Janie.

— Je vous promets que vous ne ferez rien de tout ça, déclare M. Desméninges.

Cela semble trop beau pour être vrai, mais une promesse est une promesse. Nous nous détendons un peu.

— Alors, qu'allons-nous faire dans ce cas? demande Jacob.

— Eh bien, répond M. Desméninges, j'ai pensé qu'aujourd'hui, nous pourrions nous concentrer sur les couleurs! Est-ce que cela vous irait?

Nous hochons tous la tête. Et nous nous détendons encore plus.

— Qui peut me dire combien de couleurs il y a dans l'arc-en-ciel? demande M. Desméninges.

La main de Florence fend l'air aussitôt.

— Oh, c'est facile! dit-elle. Sept! Rouge, orange, jaune, vert, bleu, indigo et violet.

— Très bien, Florence, dit M. Desméninges. Et qui peut me dire laquelle de ces couleurs est la meilleure?

La main de Florence est encore en l'air.

— Voulez-vous dire laquelle est notre couleur préférée? demande-t-elle.

— Non, reprend M. Desméninges. Je vous demande quelle couleur est la meilleure.

C'est alors que Florence fait une chose étrange.

Elle baisse sa main.

Aussi étonnant que cela puisse paraître, elle ne connaît pas la réponse!

— Personne ne sait? demande M. Desméninges. Personne? Allons donc, c'est le jaune, bien sûr!

— Oh, oh! lâche Jacob à voix basse.

— Le jaune? répète Florence. Pourquoi le jaune?

— N'est-ce pas évident? dit M. Desméninges. Le jaune est magnifique! C'est la couleur du soleil! Des marguerites! C'est la couleur de la gaieté et c'est aussi la couleur utilisée sur les panneaux d'avertissement. Le jaune contribue donc à notre sécurité! C'est la couleur de toutes les choses précieuses de ce monde : l'ambre... l'or... et...

— Les bananes, par hasard? demande Jacob en levant les yeux au plafond.

— Oui! s'écrie M. Desméninges d'une voix retentissante. Les bananes! Il n'y a aucun doute là-dessus, le jaune est assurément la meilleure couleur qui soit!

— Je n'en suis pas si sûre, commente Florence. Pourquoi pas le vert? Le vert, c'est bien aussi. C'est la couleur de l'herbe, des arbres, des légumes... et les légumes sont très bons pour la santé, vous savez.

— La réputation des légumes est surfaite, répond sèchement M. Desméninges. Ils ne sont certainement pas aussi bons que les bananes! De plus, où seraient les légumes sans le soleil? Lequel, dois-je te le rappeler, est jaune!

Jacob et moi échangeons un regard stupéfait. Nous n'avons jamais vu M. Desméninges dans cet état. Il ne ressemble pas au M. Desméninges que nous connaissons.

— Mais enfin, c'est ridicule! s'exclame Florence.

— Ne discute pas avec moi! réplique M. Desméninges. Le jaune est la meilleure couleur qui soit, un point, c'est tout. D'ailleurs, il n'y a pas que le jaune-jaune. Il existe plus de 32 teintes différentes de jaune! Le doré, l'ambré, le jaune doré, le doré ambré, le jaune citron, le jaune moutarde, le jaune safran...

— Oui, monsieur Desméninges, dit Jacob pour essayer de le calmer. Vous avez absolument raison... Nous avons compris.

Mais M. Desméninges ne veut rien entendre. Il continue à parler encore et encore, avec l'intention, semble-t-il, de nommer chacune des 32 teintes de jaune.

— Jaune maïs, jaune lin, jaune autobus scolaire, jaune banane...

—Aurons-nous un test là-dessus, monsieur? l'interrompt Florence.

— Tu parles que vous allez en avoir un! répond M. Desméninges. En fait, vous allez en avoir un immédiatement!

— Immédiatement? Vous ne pouvez pas faire ça! proteste Florence. Vous ne nous avez pas avertis à l'avance!

— Ouais, se plaint Olivier. C'est injuste. Je vais le dire à mon frère!

— Avertissement! Avertissement! lance M. Desméninges d'un ton sarcastique. Il y aura un test dans une seconde.

Il fait une pause.

— Voilà! reprend-il. Considérez-vous avertis! Le test commence à l'instant. Quelle fréquence la couleur jaune occupe-t-elle sur la charte des couleurs : 90 hertz, 100 hertz, 400 hertz ou 500 hertz?

Tous les élèves de la classe échangent des regards. Comment sommes-nous censés savoir cela? Comment quiconque est-il censé savoir cela?

Même Florence et David ont l'air déroutés.

M. Desméninges ne nous teste jamais. En réalité, il déteste les tests. Peut-être plus que nous encore.

Il se passe quelque chose de bizarre.

Il se passe quelque chose de sérieusement, d'assurément, de terriblement bizarre.

Chapitre 26

Le grand mystère du lait à la banane

Quand le cours d'arts plastiques prend fin, nous allons dîner. Puis nous retournons lentement en classe, un peu à reculons.

Nous n'avons rien contre les séances de représentation mentale, mais nous redoutons de devoir subir d'autres leçons traitant des bananes.

La vue de M. Desméninges n'a rien pour nous rassurer.

Il est debout devant la classe, vêtu de son costume de banane, et il tient un contenant de lait à la banane dans sa main.

Je murmure à l'oreille de Jacob :

— Oh, non! Je n'en peux plus!

— Moi non plus, répond Jacob. Tirons-nous d'ici! Les fenêtres sont grandes ouvertes!

— Bonne idée, dis-je. Allons-y!

Nous nous apprêtons à traverser la classe en courant et à sauter par la fenêtre quand M. Desméninges nous interpelle d'une voix forte.

— Où croyez-vous aller comme ça? demande-t-il. Assoyez-vous!

Jacob et moi échangeons un regard, ne sachant trop que faire.

M. Desméninges décide à notre place.

— Tout de suite! ajoute-t-il brusquement.

Il y a, dans la voix de M. Desméninges, une dureté que nous n'avons jamais entendue auparavant. Il est furieux. Et il n'est pas juste banano-furieux... il est fou furieux.

— C'est bon, 5B, reprend M. Desméninges, une fois que nous sommes tous assis.

Il brandit le contenant de lait.

— Je présume que vous savez tous ce que c'est?

Florence s'empresse de lever la main.

— C'est un berlingot de 250 ml de lait aromatisé, monsieur, débite-t-elle.

— C'est exact, Florence, confirme M. Desméninges. Et quelqu'un peut-il me dire à quoi ce lait est parfumé?

Pour une fois que je connais la réponse à l'une de ses questions, je n'ose même pas la donner. D'ailleurs, personne n'ose. Sauf Florence, qui est toujours ravie de montrer l'étendue de ses connaissances chaque fois que l'occasion se présente.

— À la banane, monsieur! répond-elle.

M. Desméninges hoche la tête.

— C'est exact, dit-il en secouant tristement la tête. À la banane. Pouvez-vous croire ça?

— Oui, dit Florence, qui ne se donne même plus la peine de lever la main avant de répondre. Je crois qu'à la cafétéria, le lait aromatisé à la banane est le troisième parfum le plus populaire, après celui aromatisé au chocolat et celui à la fraise.

— Eh bien, c'est mal! crie M. Desméninges. M'entendez-vous? Cela va complètement à l'encontre de l'ordre naturel des choses!

Florence le regarde d'un air interdit.

Elle ne parle pas.

Elle est incapable de parler.

Personne ne peut parler.

Et je parie que vous non plus, vous ne seriez pas capable de parler si une banane géante se tenait devant vous en criant et en brandissant sous votre nez un contenant vide de lait aromatisé à la banane.

— Une banane est MORTE pour qu'on fabrique ce lait! poursuit M. Desméninges, qui arpente les allées entre nos rangées de pupitres en agitant le contenant de lait sous le nez de chacun. Et vous n'êtes pas mieux qu'un meurtrier si vous en buvez!

Je jette un coup d'œil à Janie, à Gaëlle, à Jacob et à Lucas.

Aucun de nous ne sait comment réagir devant cette nouvelle situation.

Cela n'a aucun sens. Après tout, c'est M. Desméninges qui, lors d'une de ses toutes premières leçons, nous avait enseigné comment manger une banane en la goûtant véritablement.

Et voilà qu'il nous accuse maintenant d'être des meurtriers si nous osons boire ne serait-ce qu'un simple lait aromatisé à la banane.

Aussi étrange et improbable que cela puisse paraître, M. Desméninges est passé d'un homme qui aime les bananes et qui se déguise en banane à... enfin, il n'y a pas d'autre façon de le dire... à un homme qui pense comme une banane.

Chapitre 27

La folie de la mascotte

Le mercredi matin, nous patientons devant la bibliothèque en écoutant M. Sainte-Paix nous donner ses consignes habituelles concernant tout ce qu'il est interdit de faire dans la bibliothèque.

— De plus, ajoute-t-il en prenant une grande respiration, il est interdit de jongler avec les livres, de les utiliser comme des disques volants et, bien évidemment, de leur donner des coups de pied...

Jacob secoue la tête.

— Interdit de donner des coups de pied aux livres? répète-t-il. Pour qui nous prend-il? Des bêtes sauvages?

— Oui, répond M. Sainte-Paix, qui jouit d'une ouïe exceptionnelle. C'est exactement ce pour quoi je vous prends. Si ce n'était que de moi, j'interdirais tout simplement aux élèves d'entrer dans la bibliothèque.

— Peut-on y aller à présent? demande David.

— Oui, j'imagine que oui, répond M. Sainte-Paix, si c'est vraiment nécessaire. Mais assurez-vous de bien vous essuyer les pieds avant d'entrer. Je ne veux retrouver aucune saleté dans la bibliothèque et surtout pas sur les livres!

— Vous nous l'avez déjà dit, monsieur Sainte-Paix, fait remarquer Gaëlle en s'essuyant les pieds et en entrant.

— Chut! répond M. Sainte-Paix. Tu es dans une

bibliothèque à présent.

Une fois que nous sommes entrés et assis en sécurité aux tables d'étude, nous résistons plutôt bien à la tentation de jongler ou de lancer les livres, de leur donner des coups de pied ou de les couvrir de saleté. Mais nous parvenons plutôt mal à rester silencieux et, comme d'habitude, le pauvre M. Sainte-Paix est débordé tant il doit courir d'une table à l'autre pour faire taire les élèves.

Florence est la seule personne qui soit véritablement en train de lire un livre. Elle a le nez plongé dans un énorme manuel médical qu'elle lit avec attention. Nous connaissons bien ce livre pour avoir passé plusieurs heures à l'examiner en détail, à la recherche de photographies de troubles de santé particulièrement abominables à regarder.

— Tu as trouvé de bonnes images, Florence? demande Jacob.

— Ne me les montre pas! s'écrie aussitôt Lucas, qui est terrifié par les photographies de troubles de santé particulièrement abominables.

Il est probablement plus terrifié par les photographies que par les troubles de santé eux-mêmes. Pour vous dire la vérité, nous le sommes tous... mais cela ne nous empêche pas de continuer à les regarder.

— Ne t'inquiète pas, Lucas, répond Florence en relevant enfin la tête du livre. Je n'ai trouvé aucune photo, mais j'ai trouvé des renseignements très intéressants. Je crois savoir ce qui ne va pas avec M. Desméninges!

— Quoi donc? demande Janie.

— Il est atteint de la folie de la mascotte, répond Florence.

— La folie de la mascotte? répète Lucas en pâlissant.

Ça semble effrayant!

— Ce n'est pas effrayant, Lucas, déclare Florence. Mais c'est grave. La folie de la mascotte est le terme médical pour désigner une affection rare, mais bien documentée, qui provoque, chez le porteur d'un costume de mascotte, un phénomène d'identification totale à son costume. Le patient oublie qui il est et commence à considérer l'identité du personnage qu'il interprète comme étant la sienne.

— Peux-tu nous redire ça en français maintenant? demande Jacob.

— En d'autres mots, reprend Florence, M. Desméninges n'est plus lui-même. Il se prend pour une banane.

— C'est la chose la plus stupide que j'aie jamais entendue! s'exclame Gaëlle.

— Ce n'est pas stupide, proteste Florence, le doigt sur le livre. Écoutez ça : « Les effets de la folie de la mascotte sont très difficiles à classifier. Ils se manifestent de manières différentes chez les individus. Par exemple, M. Simon de Centreville, qui incarnait la mascotte de gorille de l'équipe de ping-pong de Centreville, en est venu à s'identifier totalement à son costume et à croire qu'il était véritablement un gorille. »

— A-t-il guéri? demande Janie.

— Non, répond Florence en secouant la tête et en replongeant dans le livre. Il vit maintenant dans l'enclos des gorilles du zoo de Nordouest, où il constitue une attraction touristique très populaire. Il y a aussi Mme Clapet d'Ouest Ouest Ouest de Nordouest, qui incarnait la mascotte d'aigle de l'équipe de volley-ball d'Ouest Ouest Ouest de Nordouest. Elle a guéri de sa folie après être tombée d'un arbre, alors qu'elle tentait de s'envoler. On attribue sa guérison au choc de la chute...

— C'est terrible! s'écrie Janie. La pauvre femme!

Je lui fais remarquer :

— Oui, mais au moins, elle va mieux.

— Oui, approuve Florence d'un ton solennel. Mais il y a pire. Il y a le cas tragique de M. Leblanc de Centreville Centre qui, à peine sept semaines après avoir revêtu le costume de requin de la mascotte de l'équipe de natation locale à raison de moins d'une heure par jour, s'est rendu à sa piscine municipale où il a attaqué plusieurs baigneurs et...

Florence referme le livre d'un coup sec.

— Je ne peux pas en lire plus, dit-elle. C'est trop horrible!

Jacob attrape le livre et se met aussitôt à le feuilleter avec frénésie, manifestement en quête des affreux détails.

— Y a-t-il des photos? demande-t-il.

— Chut! fait M. Sainte-Paix. C'est une bibliothèque ici, pas le site d'une compétition de hurlements!

— Je ne hurlais pas, chuchote Jacob.

— OUI, TU HURLAIS! hurle M. Sainte-Paix.

— Chut, monsieur Sainte-Paix. C'est une bibliothèque ici, pas le site d'une compétition de hurlements.

— C'est ce que je disais! lance M. Sainte-Paix en s'éloignant.

— Explique-t-on comment soigner la folie de la mascotte dans ce livre? demande Janie.

— Pas vraiment, dit Florence. On sait si peu de choses au sujet de la maladie que c'est difficile à dire, mais il semble que certaines personnes s'en sortent suite à un choc.

D'autres, toutefois, comme le pauvre homme-gorille, ne se rétablissent jamais.

— Dans ce cas, nous devrions essayer de faire subir un choc à M. Desméninges, dis-je. Je veux retrouver l'ancien M. Desméninges. Il n'est pas aussi amusant en banane qu'il l'était en être humain.

— Je suis d'accord, Henri, dit Gaëlle, mais je crois que nous devrions le faire après la compétition d'athlétisme. C'est plus important qu'il demeure une banane... du moins jusqu'à demain après-midi.

— Mais il n'est pas une banane! s'écrie Janie. Il est un être humain!

— Je le sais et vous le savez aussi, dit Florence, mais lui ne le sait pas. Il croit qu'il est une banane. Et dans un certain sens, il est... une très bonne banane. Et cette banane pourrait influencer de manière cruciale nos chances de gagner vendredi.

Il y a un moment de silence.

Florence nous regarde.

Nous regardons Florence.

Finalement, Janie prend la parole.

— Es-tu en train de nous suggérer de ne rien faire?

Florence hoche la tête.

— Pas tout à fait. Je suis convaincue que nous devrions faire quelque chose... mais pas avant vendredi, tout simplement.

Janie se renfrogne.

— Mais...

— Réfléchis, Janie, intervient Gaëlle. Si nous le guérissons maintenant, il ne sera peut-être pas une mascotte aussi efficace vendredi et, soyons réalistes, nous avons besoin de toute l'aide que nous pouvons trouver.

— Je veux gagner la compétition autant que tout le monde, réplique Janie, mais pas aux dépens de M. Desméninges!

— Mais enfin Janie, dis-je, ce n'est pas comme si M. Desméninges était malheureux. Je veux dire : rien ne cloche vraiment chez lui en ce moment.

— Henri, réplique Janie, il y a quelque chose qui cloche chez toi si tu es incapable de reconnaître son problème. Il se prend pour une banane!

— Je le sais! dis-je. Tout ce que je dis, c'est ne faisons rien que nous pourrions regretter par la suite. Nous ne pouvons pas laisser l'académie Ouest de Nordouest nous humilier une fois de plus! Du lait! Des œufs! Et quoi encore? Nous ne pouvons pas continuer à vivre dans la peur!

— Ouais, renchérit Jacob en levant le nez du gros livre médical. Ça ne fera de mal à personne de lui laisser croire qu'il est une banane encore un jour ou deux. Après tout, ce n'est pas comme s'il allait sauter dans une piscine et se mettre à mâchouiller les jambes des gens.

— Jacob a raison, approuve Florence. Statistiquement, les chances d'être attaqué par une banane sont très faibles... et dans l'éventualité où cela se produirait, la personne attaquée n'aurait qu'à l'écraser avec son pied.

— Vraiment? demande Lucas.

— Vraiment! répond Florence d'une voix qui se veut réconfortante.

J'aurais pu révéler quelques petites choses à Florence à propos de ce costume de banane. À quel point il est dangereux, par exemple. Mais je ne veux pas bouleverser Lucas ni compromettre la seule chance de toute notre vie de vaincre l'académie Ouest de Nordouest.

Janie secoue la tête et dit :

— Je trouve que vous agissez tous comme des égoïstes.

— Et si nous votions là-dessus? propose Florence. C'est la façon la plus juste de décider. Tous ceux qui sont en faveur de ne rien faire, levez la main.

Florence lève la main.

Je lève la main.

Jacob lève la main.

Gaëlle lève la main.

Lucas semble inquiet, mais il finit par lever la main.

Janie ramasse ses livres, se lève et va s'asseoir à une autre table.

Chapitre 28

Désolé

Le lendemain matin, j'attends dans la cour d'école que Janie arrive. Après notre période de bibliothèque d'hier, elle a refusé de parler à quiconque de notre bande pendant tout le reste de la journée.

En arrivant à l'entrée de la cour, elle m'aperçoit. Aussitôt, elle fait demi-tour et file dans l'autre direction.

Je l'appelle :

— Janie, attends! Je veux te parler!

Elle continue à marcher... plus vite encore.

Je cours derrière elle et pose ma main sur son épaule. Elle s'immobilise.

— Que veux-tu, Henri? demande-t-elle.

— Je veux juste te présenter mes excuses, dis-je. Je sais comment tu te sens au sujet de M. Desméninges.

— Ah, oui? dit-elle. Dans ce cas, pourquoi n'as-tu pas voté de façon à essayer de l'aider?

— Parce qu'il y a d'autres enjeux à considérer, dis-je.

— Lesquels? demande Janie avec impatience. Le fait que tu aies besoin de quelqu'un qui se trémousse en costume de banane pour avoir confiance en toi, par exemple?

— Non, dis-je, mais...

Soudain, Lucas, Jacob et Gaëlle nous hurlent quelque chose depuis l'autre bout de la cour d'école.

— Henri! Janie! Attention! Ils arrivent!

Nous n'avons pas besoin de leur demander de qui ils parlent.

Nous sentons déjà les vapeurs suffocantes et entendons déjà le klaxon de l'autobus qui fonce vers l'école.

— Ne vous sauvez pas! lance Janie.

— Es-tu folle? dis-je.

— Non, répond-elle en marchant directement vers le devant de l'école. Suis-moi!

— Janie? dis-je en me demandant si la folie de la mascotte est contagieuse. Est-ce que tu te sens bien?

— En pleine forme! lance-t-elle. Viens!

Chapitre 29

Attaque aux tomates!

Janie va s'installer devant la clôture, tout près de la rue.

Et l'autobus de l'académie Ouest de Nordouest s'en vient!

Mon instinct me dit de m'enfuir... mais je ne peux pas. Pas avec Janie qui est plantée là. À regret, je vais la rejoindre.

L'autobus est tout près à présent. On entend les élèves d'Ouest de Nordouest qui nous crient des injures. La plupart des paroles sont inintelligibles, cependant nous entendons très clairement le « NULS ».

Je regarde autour de moi.

Janie et moi sommes entourés de Lucas, de Gaëlle et de Jacob. Le reste des élèves est parti se mettre à l'abri.

Tommy Glou se penche par la fenêtre de l'autobus et crie :

— Feu!

Aussitôt, des objets rouges jaillissent des fenêtres de l'autobus.

Une attaque aux tomates pourries!

Je veux courir, mais je résiste à la tentation et alors, à ma très grande surprise, je tends les bras et attrape une tomate dans chaque main. Je ne suis pas le seul : Jacob, Janie, Gaëlle et Lucas en ont attrapé chacun deux, eux aussi.

Pendant un moment, tout semble s'arrêter.

Les hurlements dans l'autobus s'arrêtent.

Nous nous arrêtons.

— À l'attaque! crie Janie.

Nous attaquons.

Nous nous ruons hors de la cour d'école, remontons la rue et poursuivons l'autobus.

Les visages surpris de Tommy Glou et des autres élèves de l'académie Ouest de Nordouest se pressent contre la fenêtre arrière de l'autobus. Mais pour une fois, au lieu de nous crier à quel point nous sommes des nuls, ils crient à leur conducteur d'accélérer.

Seule notre surprise dépasse la leur.

Nous avons peine à croire avec quelle facilité nous rattrapons l'autobus. Courir nous a toujours semblé difficile, mais à présent, c'est aussi facile que si le vent nous poussait.

Quand nous arrivons à la hauteur de l'autobus, Janie donne le commandement de lancer nos tomates.

— Feu! crie-t-elle.

Nous lançons nos projectiles. Une première vague de la main droite, puis une seconde de la main gauche.

La fenêtre arrière de l'autobus de l'académie Ouest de Nordouest se couvre d'une grosse tache rouge créée par l'écrasement de dix tomates pourries.

— À demain! hurle Jacob pendant que nous ralentissons l'allure et regardons l'autobus s'éloigner en prenant de la vitesse.

— Hé! C'était amusant! lance Lucas en marchant avec plus d'assurance que jamais.

J'approuve d'un hochement de tête et dis :

— Et comment!

Je jette un coup d'œil à Janie.

— Tu avais raison, dis-je. Avec ou sans banane, nous pouvons le faire.

Elle se contente de sourire.

Chapitre 30

Le programme de M. Dutonus

Quand nous rentrons dans la cour d'école, le reste des élèves de l'école Sudest de Nordouest de Centreville nous accueille avec des applaudissements frénétiques.

— Eh bien, ça parle au diable! s'écrie M. Dutonus. Bravo, les enfants! On dirait que mes techniques d'entraînement de pointe portent finalement leurs fruits. Ça aura pris quelques années, mais c'est clair que ça fonctionne à présent.

Nous échangeons un regard et un large sourire.

Nous connaissons la vérité.

Cela n'a rien à voir avec les techniques d'entraînement de M. Dutonus. C'est plutôt le Programme Desméninges pour l'excellence dans le sport qui porte finalement ses fruits.

Je n'ai jamais vu M. Dutonus d'aussi bonne humeur.

— Bien sûr, je savais qu'un contact prolongé avec un athlète de haut niveau comme moi finirait par influencer vos performances un jour ou l'autre. Après tout, comment auriez-vous pu passer tout ce temps à m'observer sans rien apprendre? C'est ridicule!

— Ce n'est pas en vous regardant que nous avons progressé, réplique Jacob, incapable de supporter les vantardises de M. Dutonus plus longtemps. C'est grâce à M. Desméninges.

— Vous croyez que c'est le fait d'avoir une mascotte-banane qui vous a permis de vous améliorer dans les sports? pouffe M. Dutonus.

— Pas juste la mascotte, dit Gaëlle. Les représentations mentales aussi.

— Les quoi?! s'étouffe M. Dutonus.

— Nous nous sommes entraînés dans notre tête, explique Florence.

— C'est prétentieux, clame M. Dutonus. L'esprit n'a rien à voir avec le sport. Et s'il y en a un qui le sait, c'est bien moi!

Il se penche vers Florence et lui crie à la figure :

— PAS DE SOUFFRANCE, PAS DE RÉCOMPENSE!

— Pas nécessairement, répond Florence en reculant d'un pas. Vous ne devriez jamais sous-estimer le pouvoir de l'esprit.

— C'est donc Desméninges qui vous a rempli la tête avec toutes ces sornettes? gronde M. Dutonus. J'aurais dû m'en douter.

— Oui, confirme Janie avec enthousiasme. Il nous a mis au Programme Desméninges pour l'excellence dans le sport.

— Eh bien, je vais lui apprendre, moi, à intervenir dans mes cours, aboie M. Dutonus. Je vais lui présenter un petit programme de mon cru. Ça s'appelle le Programme Dutonus pour s'occuper de ses oignons.

— Est-ce une menace? demande David.

— Non! répond M. Dutonus. C'est une promesse!

Chapitre 31

Une visite de M. Dutonus

Quand nous entrons en classe, M. Desméninges est toujours dans son costume de banane, mais il semble être un peu moins fou qu'il ne l'était au cours des derniers jours.

— Je dois vous présenter mes excuses, déclare-t-il d'emblée. Je crois que je me suis laissé un peu emporter et que j'ai franchi la ligne qui sépare la mascotte-banane de la banane-casse-pieds.

Janie et moi échangeons un regard.

Voilà qui est bon signe, c'est clair.

Après tout, M. Desméninges n'est peut-être pas atteint de la folie de la mascotte. Nous nous sommes peut-être inquiétés pour rien.

— Je pense que je suis tout simplement trop excité par la compétition de demain, poursuit-il. Je veux vraiment faire bonne figure et être la meilleure mascotte possible. Je ne veux pas vous laisser tomber.

— Détendez-vous, dis-je. Vous allez être formidable. Nous le sommes tous!

Un murmure d'approbation parcourt la classe.

— Donnez-moi un B! hurle M. Desméninges.

Nous nous apprêtons à donner un B à M. Desméninges quand la porte s'ouvre d'un coup et que M. Dutonus fait irruption dans notre classe. Il a toujours l'air désagréable, mais cette fois, il a l'air encore plus désagréable que d'habitude.

— Je vais vous donner un D, moi, et tout de suite! aboie-t-il à l'intention de M. Desméninges. Et je vais aussi vous donner un bon coup de pied dans le D-errière en même temps!

— Monsieur Dutonus! s'écrie M. Desméninges. Quelle agréable surprise!

— Lâchez-moi le « Monsieur Dutonus! Quelle agréable surprise! », rugit M. Dutonus. J'ai un compte à régler avec vous, Desméninges!

— J'ai bien peur que ce soit un peu difficile, répond M. Desméninges. Voyez-vous, les bananes ne savent pas compter.

Pendant un moment, M. Dutonus fixe M. Desméninges avec un regard sans expression. Puis il secoue la tête et poursuit :

— Écoutez-moi, Desméninges, dit-il. Vous êtes dans cette école depuis peu, alors peut-être que cela n'a aucune importance pour vous, mais sachez que nous participons chaque année à une compétition sportive très importante. À titre d'enseignant d'éducation physique, je passe toute l'année à préparer mes élèves en vue de cet événement. J'élabore pour cela un programme hautement précis qui combine un entraînement intensif avec des techniques d'entraînement de pointe, et je n'apprécie pas que quelqu'un comme vous arrive et bousille tout à la dernière minute.

— Mais je n'ai rien bousillé du tout! s'étonne M. Desméninges. Je vous ai aidé!

— Vous appelez ça de l'aide? répète M. Dutonus. Revêtir un costume de banane ridicule et semer la pagaille dans le cerveau de nos élèves? Eh bien, moi, je n'appelle pas ça de l'aide. J'appelle ça de l'ingérence!

M. Desméninges sourit et hoche la tête.

— Mes méthodes sont un peu... euh... non conventionnelles, je vous l'accorde... mais elles sont basées sur des principes scientifiques solides. Historiquement, on a toujours utilisé les mascottes pour porter chance aux équipes sportives... et la plus récente étude sur la relation corps-esprit est très captivante...

— Taisez-vous immédiatement, Desméninges, l'interrompt M. Dutonus. Je vais vous dire, moi, ce qui serait captivant. Ce serait captivant si vous m'épargniez ces sornettes et si vous me laissiez m'occuper de mes affaires, c'est-à-dire préparer les élèves de Sudest de Nordouest de Centreville pour la grosse journée qui les attend demain.

— Mais bien sûr, réplique M. Desméninges. Cependant, personne n'a réponse à tout... Nous pouvons tous bénéficier d'un petit coup de main.

— Que voulez-vous dire? demande M. Dutonus.

— Rien, répond M. Desméninges. Simplement que l'académie Ouest de Nordouest s'est révélée difficile à battre par le passé et que votre palmarès est, ma foi, disons moins qu'impressionnant...

Bon, s'il y a une chose qu'on doit toujours avoir en tête quand on fait affaire avec M. Dutonus, c'est qu'on ne doit jamais faire référence à son palmarès. Et si on doit quand même faire référence à son palmarès, on doit à tout prix éviter d'utiliser les mots « moins qu'impressionnant ». Malheureusement, M. Desméninges ignorait ce détail... mais il va bientôt le découvrir.

Chapitre 32

Dutonus contre Desméninges

— Vous avez dépassé les bornes! lâche M. Dutonus en roulant ses grosses mains en des poings encore plus gros et en les élevant à la hauteur de son visage. Je ne vais pas rester planté là à laisser un intello cinglé au cerveau déréglé en forme de banane salir ma réputation et me dire comment faire mon travail. Battez-vous ou taisez-vous, Desméninges!

Janie, horrifiée, plaque ses mains sur sa bouche.

— Non! s'écrie-t-elle.

Lucas plonge sous son pupitre.

— Je crois qu'on dit là-dedans que se battre en classe est contraire au règlement de l'école, déclare David en brandissant son manuel.

M. Dutonus arrache le manuel des mains de David et le lance par la fenêtre.

— Je vais me battre avec QUI je veux, QUAND je veux et OÙ je veux! crie-t-il à pleins poumons.

— Enfin, voyons, monsieur Dutonus! proteste M. Desméninges. Je ne veux pas me battre avec vous.

— Pourquoi pas? réplique M. Dutonus en sautillant autour de lui sur le bout des pieds et en donnant des coups de poing sur la tête de banane de M. Desméninges. Auriez-vous peur? Vous riez jaune, hein?

— Bien sûr que je ris jaune, rétorque M. Desméninges,

et j'en suis fier! Je suis une banane! Vous ne frapperiez pas un fruit, n'est-ce pas?

— Vous n'êtes pas un fruit, reprend M. Dutonus. Vous êtes un gâteau aux fruits! Voilà ce que vous êtes!

En disant cela, M. Dutonus tend le bras et arrache la tête de M. Desméninges.

Enfin, quand je dis qu'il arrache la tête de M. Desméninges, je ne veux pas dire qu'il arrache la vraie tête de M. Desméninges... mais simplement qu'il arrache la tête du costume de banane de M. Desméninges.

Après, tout se passe très vite.

M. Desméninges tire sur la tête pour la reprendre.

M. Dutonus la maintient haut dans les airs, hors de la portée de M. Desméninges.

M. Desméninges saute pour l'attraper et, en retombant, il heurte accidentellement M. Dutonus et le sonne assez pour l'étourdir.

M. Dutonus échappe la tête de banane, mais pendant qu'il tente de retrouver son équilibre, il pose le pied dessus, dérape, glisse d'un côté de la classe à l'autre... puis tombe par la fenêtre!

— Oh, sapristi! s'écrie M. Desméninges en ramassant la tête de banane et en la remettant sur sa tête. Je ne pense pas que ça va le mettre de bonne humeur.

Chapitre 33

Dutonus contre Herbête

M. Desméninges a raison.

M. Dutonus n'est pas content.

Nous le savons, car nous l'entendons crier depuis la plate-bande, en bas.

Nous courons tous à la fenêtre.

M. Dutonus est étendu sur le dos et il brandit son poing vers M. Desméninges.

— Vous allez le regretter, Desméninges! hurle-t-il. Bousiller tout mon bon travail avec vos idées de fou! J'aurai votre peau pour ça!

Mais M. Dutonus n'est pas le seul à être mécontent.

Voilà M. Herbête qui traverse la cour en trombe et fonce vers M. Dutonus. Et cette fois, il conduit sa tondeuse autoportée. Il tient le volant d'une main et agite sa fourche de l'autre.

— Sortez de ma plate-bande, Dutonus! crie-t-il, couvrant le bruit de moteur du véhicule. Sortez immediatement de ma plate-bande, vous m'entendez? Ou je vous transforme en compost!

M. Dutonus bondit sur ses pieds et s'enfuit à toutes jambes.

M. Herbête accélère et part à sa poursuite.

— Revenez ici, Dutonus! hurle-t-il. Je vais vous...

Nous ne parvenons pas à entendre sa dernière menace,

qui se perd dans le bruit assourdissant du moteur du véhicule de M. Dutonus. Celui-ci a réussi à courir jusqu'au stationnement et à sauter dans sa voiture; et, maintenant, il se sauve à toute vitesse. Aussitôt sorti du stationnement, il disparaît dans la rue.

M. Herbête n'abandonne pas la poursuite pour autant. Il suit M. Dutonus hors du stationnement, puis dans la rue, en filant à une vitesse étonnante.

— C'est incroyable! s'écrie Guillaume en les voyant disparaître au loin. Comment M. Herbête fait-il pour tirer autant de puissance de ce moteur minuscule? Attendez que je raconte ça à mon père!

M. Desméninges encourage M. Herbête dans sa poursuite en dansant, en criant et en poussant des cris de joie.

— Allez, monsieur Herbête, allez! Tondez! Tondez! Tondez!

Nous scandons tous ce cri avec lui quelques fois, puis M. Desméninges en invente un autre.

— Dutonus a saccagé vos fleurs! Tondez la tête de ce sans-cœur!

Toute la classe scande le nouveau cri avec enthousiasme. Moi aussi, je le fais, jusqu'à ce que Janie me secoue brutalement l'épaule.

— Henri! s'offusque-t-elle. Ce n'est pas très gentil!

— Il s'agit seulement de M. Dutonus, dis-je.

— Peu importe de qui il s'agit, réplique-t-elle. Ce n'est pas gentil de tondre la tête d'une personne.

— Désolé, dis-je. J'imagine que tu as raison. Il faut dire que M. Desméninges est tellement convaincant.

— Oui, c'est vrai qu'il l'est, admet Janie avec un regard

inquiet. Mais j'ai l'impression que sa folie a empiré. J'ai peur que nous ne retrouvions jamais notre bon vieux M. Desméninges.

Chapitre 34

Un accueil HOSTILE de l'académie Ouest de Nordouest!

C'est vendredi matin.

Le grand jour est enfin arrivé.

Notre classe est assez malchanceuse pour se retrouver dans le premier autobus. Nous nous assoyons à nos places, silencieux et penauds. Malgré notre mascotte, nos séances de représentation mentale et notre riposte réussie à l'attaque aux tomates de l'académie Ouest de Nordouest, nous ne pensons pas vraiment faire mieux aujourd'hui que lors des compétitions d'athlétisme précédentes.

À la fin de la journée, les élèves de l'académie Ouest de Nordouest brandiront la coupe dorée bien haut au-dessus de leurs têtes, tandis que nous baisserons les nôtres devant notre défaite pitoyable.

La seule personne qui ne semble pas en être consciente, c'est M. Desméninges… qui, techniquement parlant, n'est même plus tout à fait une personne.

Il est une banane.

Une grosse banane jaune qui danse.

Paré de son costume, il se trémousse en arpentant l'allée centrale de l'autobus d'avant en arrière, faisant de son mieux pour nous remonter le moral.

Toutefois, la vue d'un gros groupe de fanfarons de l'académie Ouest de Nordouest postés dans le stationnement n'a rien pour nous remonter le moral. Ils brandissent une banderole sur laquelle on peut lire : *RENTREZ CHEZ VOUS, LES NULS!*

— Ce n'est pas très gentil! dit Janie.

— L'académie Ouest de Nordouest n'est pas très gentille, au cas où tu l'aurais oubliée, lui dis-je en retour.

— Laissez-moi m'occuper de ça, déclare M. Desméninges en se frayant un chemin vers l'avant de l'autobus. Donnons-leur un petit avant-goût de la *puissance banane*, d'accord? Chauffeur, ouvrez la porte! Nous avons une compétition d'athlétisme à remporter!

Le chauffeur d'autobus, un homme aux traits tirés, adresse un regard plein de sympathie à M. Desméninges. Au fil des ans, il a trimbalé, entre notre école et le stade de Nordouest, trop d'élèves démoralisés et il nous a vus perdre trop de fois pour croire qu'un homme déguisé en banane puisse y changer quoi que ce soit.

— Fais tes prières, Bonhomme Banane, lui dit-il en haussant les épaules et en ouvrant la porte de l'autobus.

— B, A, N, A, N, E, S! scande M. Desméninges sur un ton de défi en s'élançant hors de l'autobus.

Bon, c'est vrai, ça aurait pu être génial.

Ça aurait même pu être inspirant.

Ça aurait même pu semer la peur dans le cœur de l'adversaire.

Mais ce n'est pas ce qui se produit.

Parce que M. Desméninges trébuche et glisse sur le marchepied de l'autobus.

Il atterrit sur le dos, ses bras et ses jambes s'agitant dans tous les sens.

Les élèves de l'académie Ouest de Nordouest éclatent

de rire et applaudissent.

— Bravo! hurle Tommy Glou, qui semble encore plus gros et plus laid qu'à l'habitude. Vous voulez un coup de main pour remonter dans le bus? Je ne supporterais pas de voir une aussi belle banane être complètement aplatie!

— Ou écrabouillée! ricane un de ses sadiques petits amis en tapant des pieds.

— Ou réduite en purée! se moque un autre en écrasant son poing dans sa paume ouverte.

— Les bananes n'ont pas d'affaire ici, lance Tommy. Ni les nuls de l'école Sudest de Nordouest de Centreville, d'ailleurs. Pourquoi ne rentrez-vous pas tout de suite chez vous? Inutile de faire la compétition pour vrai, de toute façon, nous savons tous qui va gagner. J'ai raison, oui ou non?

— Tu as raison! Tu as raison! scandent les autres brutes de l'académie Ouest de Nordouest avec enthousiasme.

— Ils ont probablement raison, dit Lucas d'une toute petite voix. Je crois que nous ferions mieux de rentrer chez nous.

— Et moi, je crois que quelqu'un ferait mieux d'aider M. Desméninges, dit Janie.

Elle se précipite hors de l'autobus et va l'aider à se relever.

— Vous devriez avoir honte, lance-t-elle aux élèves d'Ouest de Nordouest.

— C'est vous qui devriez avoir honte! réplique Tommy. Vous devriez avoir honte d'être aussi nuls! Nous essayons seulement de vous épargner la déception de perdre encore.

— Merci de votre préoccupation, dit Janie en aidant

M. Desméninges à balayer la saleté de son costume, mais vous devriez plutôt être inquiets pour vous-mêmes, car il y a du nouveau cette année!

— B, A, N, A, N, E, S! crie M. Desméninges en lançant son poing en l'air. Allez, les BANANES!

Les élèves de l'académie Ouest de Nordouest échangent un regard... et pouffent de rire.

Ce n'est pas ce qu'on appelle un début prometteur.

Et les choses ne s'amélioreront pas de sitôt.

Chapitre 35

Dans le stade

Nous étions tous d'accord pour rester dans l'autobus, mais regarder Janie aider M. Desméninges aussi gentiment nous motive à sortir nous aussi, un peu honteux.

La situation n'a pas l'air plus prometteuse quand nous pénétrons dans le stade.

Au lieu d'être accueillis par un petit groupe de fanfarons de l'académie Ouest de Nordouest, nous le sommes par une tribune complète.

Et si vous croyez que *RENTREZ CHEZ VOUS, LES NULS!* n'est pas très gentil, eh bien, sachez que c'est tout à fait cordial comparé à leurs autres banderoles : *LES ANDOUILLES DE SUDEST DE NORDOUEST DE CENTREVILLE!*, *LES MERVEILLEUX TROUILLARDS DE BARBEVERTE!* et *TOUT LE MONDE DÉTESTE L'ÉCOLE SUDEST DE NORDOUEST DE CENTREVILLE!* sont les seuls slogans qui peuvent être reproduits ici, les autres contenant tous des mots que le manuel de notre école interdit d'utiliser.

Au centre du terrain, la fanfare de l'académie Ouest de Nordouest joue l'hymne discordant de leur école.

Il est difficile d'en distinguer les paroles exactes, mais le refrain, que toute l'école chante avec beaucoup d'entrain, est très clair :

« À Ouest de Nordouest,
nous sommes les meilleurs!
Tassez-vous les petites pestes
et tous les amateurs!
Peu importe le test,
c'est nous, les vainqueurs!
De toute la ville de Nordouest,
nous sommes les meilleurs!
Vive l'académie! »

— L'académie? lâche Florence avec dédain. Ça ne rime même pas.

Mais le pire dans tout ça — pire que leurs banderoles offensantes, que leur horrible musique ou que leurs rimes boiteuses — c'est l'effrayant M. Constrictor et Punk, la mascotte de l'académie Ouest de Nordouest, plus effrayant encore que son maître.

Même si M. Constrictor est censé être un ancien lutteur professionnel, vous ne le devineriez jamais à le regarder. Il est encore très, très musclé et chauve, et son visage semble s'être figé en permanence en une grimace menaçante. Il ne lui manque que son célèbre maillot en simili peau de serpent qui a fait sa renommée.

M. Dutonus, pour sa part, n'a pas l'air aussi fort.

Il arrive par le deuxième autobus et entre dans le stade en boitant avec, en travers du visage, une marque qui ressemble à une trace de pneu.

Nous suivons M. Dutonus jusqu'aux sièges de notre tribune et y prenons place.

Nous n'avons pas de fanfare.

Nous n’avons pas de banderoles.
Tout ce que nous avons, c’est une banane qui danse.

Chapitre 36

Puissance banane!

Remarquez que la banane qui danse fait vraiment tout son possible pour nous stimuler.

M. Desméninges saute, donne des coups de poing, donne des coups de pied, tourbillonne sur le dos, fait le *moonwalk*, se trémousse, tourne sur lui-même et scande des slogans avec une énergie incroyable. Il ressemble davantage à une tornade jaune qu'à une banane.

Les élèves de l'académie Ouest de Nordouest réagissent aux efforts de M. Desméninges en riant à gorge déployée. Ils le montrent du doigt, se tapent sur les genoux et le bombardent de déchets.

— Hé! Bonhomme Banane! appelle M. Constrictor. Tu vas finir dans un lait fouetté!

M. Desméninges les ignore tous et se contente de continuer à danser.

Même si on peut trouver qu'il a l'air ridicule, on doit reconnaître qu'il a du courage.

— Je vais vous montrer ce qu'on pense des bananes, ici! hurle M. Constrictor.

Il sort une banane et l'agite devant le museau de Punk. Le chien saute aussitôt dessus et la réduit en petits morceaux.

M. Desméninges cesse de danser et fixe Punk.

Punk retrousse ses babines et fixe M. Desméninges à son tour. Des filets de bave écumante coulent entre ses mâchoires et tombent sur les restes de la banane.

— Ils ont dressé ce chien expressément pour qu'il attaque les bananes, constate Jacob, intrigué. Comment ont-ils su que nous avions une mascotte-banane?

— J'ai peur, dit Lucas.

— Bienvenue dans le club, renchérit Jacob.

— Il existe un club pour les gens peureux? demande Lucas.

— Non, Lucas, explique Gaëlle. C'est une expression. Mais s'il y en avait un, c'est toi qui en serais le président.

— Non, réplique Lucas. Je serais trop effrayé. J'ai peur des clubs.

M. Desméninges s'éloigne lentement du chien en marchant à reculons.

Nos cœurs se serrent.

Nous croyions que M. Desméninges allait carrément sortir du terrain, mais il s'arrête, puis s'élance et exécute un saut périlleux spectaculaire au-dessus de la tête de Punk.

En voyant M. Desméninges voler au-dessus de lui, Punk s'écrase par terre. Puis il bondit de nouveau sur ses pattes, regarde nerveusement autour de lui et se met à japper. M. Desméninges a réussi — même si ce n'est que pendant un moment — à semer la confusion chez son adversaire!

L'effet sur les élèves de notre école est électrisant.

Nous nous levons tous d'un bloc et poussons un cri de joie assez puissant pour secouer les fondations du stade d'Ouest de Nordouest.

— B, A, N, A, N, E, S! hurle M. Desméninges en se

levant à son tour. ALLEZ, LES BANANES!

Nous scandons tous avec lui en tapant du pied. Le bruit résonne comme le tonnerre lorsqu'il rebondit contre le toit en métal.

Pour la première fois de mémoire d'homme, la tribune de l'académie Ouest de Nordouest est silencieuse.

La vue d'une banane géante qui se moque de leur mascotte ne sème peut-être pas tout à fait la peur dans leurs cœurs, mais cela les force certainement à réfléchir.

C'est alors que les haut-parleurs se mettent à crachoter.

— Bienvenue à la cinquantième édition de la compétition interscolaire annuelle d'athlétisme de Nordouest! lance Phil Bobine, un journaliste sportif du *Temps de Nordouest* qui a animé toutes les compétitions de Nordouest depuis leur début, il y a 50 ans. Que les jeux commencent!

Nous poussons un autre cri de joie.

L'académie Ouest de Nordouest crie elle aussi, plus fort encore.

C'est parti!

Chapitre 37

Cours, Lucas, cours!

Et quand je dis que c'est parti, je ne rigole pas. L'école Sudest de Nordouest de Centreville décolle comme une fusée!

Et Lucas Latrouille ne fait pas exception.

La première épreuve est le cent mètres.

— Tu y vas en premier, Latrouille! grogne M. Dutonus. Souviens-toi de ce que je t'ai enseigné.

— Euh, c'était quoi encore? demande Lucas.

Mais M. Dutonus est déjà parti.

Nous nous pressons tous autour de Lucas, afin de lui procurer un certain soutien moral.

— Je ne peux pas le faire, déclare Lucas pendant que Janie le guide doucement vers la ligne de départ. Je ne peux pas!

— Et pourquoi ça? demande Janie.

— Parce que j'ai peur!

— Mais c'est bien, intervient Gaëlle. Si tu as peur, tu vas courir plus vite.

— C'est justement une des choses qui m'effraient, réplique Lucas en s'accroupissant et en tremblant. Et si je cours tellement vite que je n'arrive plus à m'arrêter?

— Tu vas t'arrêter, répond Janie. Tu te rappelles quand nous avons pourchassé l'autobus de l'académie Ouest de Nordouest?

— Oui, répond Lucas en souriant avec nervosité. C'était amusant.

— Eh bien, c'est pareil! dis-je. Et n'oublie pas que tu t'es déjà représenté cette course dans ta tête plusieurs fois!

Lucas hoche la tête.

— Et que M. Desméninges est avec toi! renchérit Jacob. Regarde un peu comme il se démène!

— Donnez-moi un LUCAS! crie M. Desméninges en s'adressant aux élèves de la tribune de Sudest de Nordouest de Centreville.

— LUCAS! crient-ils.

— Donnez-moi un LATROUILLE!

— LATROUILLE! hurle la foule.

— METTEZ-LES ENSEMBLE ET QU'EST-CE QUE VOUS OBTENEZ?

— LUCAS LATROUILLE! crie la foule.

Puis, à l'exemple de M. Desméninges, tous les élèves se mettent à scander des encouragements en tapant lentement des mains et des pieds.

— LU... CAS... LA... TROUILLE... LU... CAS... LA... TROUILLE...

Les syllabes du nom de Lucas résonnent partout dans le stade. Le cri d'encouragement est tellement fort qu'il couvre les aboiements frénétiques de Punk, en dépit des efforts désespérés de M. Constrictor pour le faire aboyer plus fort.

— Tu entends ça, Lucas? dit Jacob. Ils scandent ton nom!

— Oui, je l'entends, répond Lucas, accroupi sur la ligne de départ, le regard déterminé.

Il ne tremble plus. Il a l'air concentré et sûr de lui.

— Nous sommes maintenant prêts pour la première épreuve de la journée, annonce Phil. Le cent mètres.

L'officielle brandit son pistolet en l'air et tire.

Lucas pousse un petit cri et s'élance. Il croise le fil d'arrivée avec un gros deux secondes d'avance sur son plus proche rival de l'académie Ouest de Nordouest. Mais cela ne lui suffit pas. Lucas continue à courir.

Et à courir.

Et à courir.

Chapitre 38

Arrête, Lucas, arrête!

— Regardez-moi ce garçon courir! s'enthousiasme Phil. Il court plus vite qu'une *chaussette remplie de lapins*!

— Je pense que ce chien stupide l'a un peu effrayé, commente Gaëlle.

— Je vais le chercher, décide Janie.

— Bonne idée, approuve Jacob. Nous avons besoin de lui. La journée vient à peine de commencer.

Et quel début de journée!

Dans la seule première demi-heure, Lucas gagne le cent mètres et le deux cents mètres, Gaëlle remporte facilement le lancer du poids dans son groupe d'âge et David décroche avec aisance la première place au saut en longueur.

Ils réussissent même à se tenir debout sur le podium des vainqueurs sans tomber, bien que Lucas vacille plutôt dangereusement vers la fin de l'hymne de Sudest de Nordouest de Centreville, lequel est interprété par M. Barbeverte qui joue *Il était un petit navire* à la cornemuse. (En gros, c'est la même mélodie que celle d'*Il était un petit navire*, mais les mots « un petit navire » ont été remplacés par « une belle école Sudest de Nordouest de Centreville ». Ouais, je sais... ça ne rime pas plus que l'hymne de l'académie Ouest de Nordouest, mais c'est notre hymne à nous et nous l'adorons.)

Bien sûr, seuls les élèves de la classe 5B ont été soumis

au Programme Desméninges pour l'excellence dans le sport, mais nos premières victoires — jumelées au dynamisme incroyable de notre mascotte — semblent avoir un effet stimulant sur le reste de l'école et bientôt, des victoires semblables s'accumulent dans tous les groupes d'âges et dans toutes les épreuves.

Même les élèves de première année remportent leur épreuve de course en sac. Et, si la tendance se maintient, on peut dire que c'est déjà dans la poche pour eux dans l'épreuve de la course de l'œuf dans la cuillère, qui aura lieu plus tard dans la journée.

Le pauvre Punk est hors de lui.

Plus nous gagnons et plus il devient fou. Il se met à grogner, à baver et à mordiller sa laisse, tant et si bien qu'il finit par la trancher d'un coup de dents. Il s'élance aussitôt vers Jacob.

Jacob est en train de donner un coup de main à l'épreuve de saut à la perche. Il réussit à utiliser une des perches pour sauter lui-même jusque sur la barre et s'y accrocher pendant que M. Constrictor maîtrise son chien, un peu à contrecœur, semble-t-il.

Évidemment, cela rend Punk encore plus méchant et encore plus dingue qu'avant.

Pendant ce temps, Phil Bobine est tellement excité par les événements de la journée qu'il peine à trouver les mots pour décrire ce qui se passe.

— Je n'ai jamais rien vu de tel! s'écrie-t-il avec enthousiasme. Au cours des 49 éditions précédentes de cette compétition, je n'ai jamais vu Sudest de Nordouest de Centreville connaître un départ aussi fulgurant... ni avoir une mascotte aussi impressionnante! De toute évidence, ils donnent tout ce qu'ils ont et je pense bien que ça ne fait que commencer! Jusqu'à présent, les meilleurs concurrents de Sudest de Nordouest de Centreville sont Lucas Latrouille, qui a couru le cent mètres plus vite qu'un *sac rempli de serpents à sonnette*. Au lancer du poids, Gaëlle Gaillard a prouvé qu'elle était plus forte qu'un *gâteau d'anniversaire recouvert de glaçage rose*, et au saut en longueur, David Brillant a bondi plus loin qu'un *pousse-pousse dans une soufflerie!*

— Un pousse-pousse dans une soufflerie? répète Jacob, qui vient de nous rejoindre dans la tribune. Quelqu'un peut-il me dire de quoi il parle au juste?

Je hausse les épaules.

— Je l'ignore, dis-je, mais mets-toi à la place du gars : il fait ça depuis 50 ans!

— Eh bien, ce qu'il raconte est presque aussi insensé qu'une *grand-mère dans une cabine téléphonique*! réplique Jacob.

Chapitre 39

Les 10 meilleurs « Philismes » de Phil Bobine

1. Plus vite qu'une chaussette remplie de lapins.
2. Plus perdu qu'un lemming dans un centre commercial.
3. Plus fort qu'un gâteau d'anniversaire recouvert de glaçage rose.
4. Plus lourd qu'une laveuse remplie de gravier.
5. Plus haut qu'un coiffeur sur des échasses.
6. Plus affamé qu'un baril rempli de buffles de l'Inde.
7. Plus déterminé qu'un dauphin qui mange des beignets.
8. Plus lent qu'un bouchon de bain qui conduit une voiture sport volée.
9. Plus grésillant qu'une saucisse dans un solarium.
10. Plus excité qu'une tondeuse à gazon dans un concert rock.

Chapitre 40

Tommy contre Gaëlle

Pendant ce temps, M. Desméninges continue à sauter, à applaudir, à donner des coups de poing et des coups de pied en l'air, à se trémousser, à tourner sur lui-même et à exécuter des sauts périlleux, puisant dans ce qui semble être un tourbillon infini d'idées très inspirées pour animer une foule.

Il est encore complètement fou, mais dans ce contexte, sa folie semble follement appropriée.

Notre école l'adore. Toute la tribune de Sudest de Nordouest de Centreville s'amuse à imiter chacun de ses mouvements... même les enseignants.

Puis, les haut-parleurs crachotent de nouveau.

— Nous assisterons maintenant à la finale du lancer du javelot, épreuve pour laquelle Tommy Glou et Gaëlle Gaillard se livrent une lutte titanesque pour la première position! annonce Phil. Au cours des dernières années, Tommy Glou a dominé l'épreuve, mais vu la performance offerte par Gaëlle Gaillard au lancer du poids plus tôt aujourd'hui et son incroyable démonstration jusqu'à présent au javelot, je crois qu'il y a de bonnes chances qu'un record soit fracassé ici, ce matin.

Le commentaire de Phil occasionne de nouveaux cris de dérision... et une nouvelle vague de gobelets de carton et de plastique lancés par les élèves de la tribune de l'académie

Ouest de Nordouest.

Mais c'est sur le terrain que le véritable drame prend forme.

Tommy est debout sur la ligne.

Guillaume, qui est assis avec nous dans la tribune, tient une énorme oreille en plastique plaquée sur le côté de sa tête.

— Qu'est-ce que c'est? demande Janie.

— C'est une Super Oreille! répond Guillaume. Mon père l'a inventée. Elle permet d'entendre ce que les gens se disent, peu importe à quelle distance ils se trouvent!

— Super! s'exclame Janie. C'est TELLEMENT chouette, Guillaume!

Je lui demande :

— Que disent-ils?

— Eh bien, dit Guillaume en se concentrant. Tommy vient de dire : « Observe et apprends, Gaillard! » Gaëlle lui répond : « Apprendre quoi? Ce qu'il ne faut pas faire? » Tommy lui répond : « Tu te crois tellement drôle! » Et M. Constrictor dit : « Allez, Tommy, montre-leur ce que tu as dans le ventre! »

D'après ce qui se passe sur le terrain, on peut déjà confirmer que, parmi les inventions du père de Guillaume, celle-ci fonctionne vraiment comme elle est censée le faire.

Nous regardons Tommy qui gratte le sol avec son pied comme un taureau qui s'apprête à charger… puis il s'élance et court en tenant le javelot bien haut au-dessus de sa tête.

Phil est déchaîné.

— Tommy Glou lance… Oh, ciel! Quel lancer

épouvantable! De toute évidence, la pression est trop forte pour Tommy, ce matin. Son javelot a tellement dévié qu'il est plus perdu qu'un *lemming dans un centre commercial!* Voyons si Gaillard pourra résister à la pression et livrer une bonne performance.

Gaëlle s'avance jusqu'à la ligne. Son visage affiche une grande détermination.

Dans la tribune de l'académie Ouest de Nordouest, les moqueries et les huées éclatent.

M. Desméninges contre-attaque en entamant un cri d'encouragement et un petit numéro sur le thème du lancer du javelot.

« Au lancer du javelot,
Notre Gaëlle lance loin et haut!
Donnez-moi un gros bravo
et Gaëlle remportera l'or! »

Nous crions si fort que nous enterrons littéralement l'académie Ouest de Nordouest.

Gaëlle lève les yeux vers notre tribune et sourit.

Puis elle se met à courir et lance son javelot.

Nous observons tous la scène en silence, bouche bée, pendant que le javelot vole plus loin et plus haut que nous n'en ayons jamais vu un voler.

Phil rompt le silence.

— C'est le lancer le plus spectaculaire que j'aie jamais vu... Le javelot continue de filer et de filer... À vrai dire, il fonce droit vers la cabine du commentateur! Mes amis, j'aperçois la pointe de ce javelot, elle brille comme un missile, et l'objet se dirige en plein... vers... oh, non!... je n'arrive pas à le croire... Il se dirige droit... vers... MOI!!!

Le javelot fracasse la vitre de la cabine de Phil. Un fracas assourdissant de verre qui éclate se répercute dans les haut-parleurs.

Nous sommes tous horrifiés.

Personne ne dit mot.

Pas même les élèves de l'académie Ouest de Nordouest.

Gaëlle est toujours sur le terrain, ses mains plaquées sur sa bouche.

— Pensez-vous que... Phil... est... ? demande Jacob, incapable de terminer sa phrase.

— Oh, non! Oh, non! s'écrie Janie en se tordant les mains.

— Quelle fin atroce! s'exclame Jacob.

Chapitre 41

Quel lancer!

Soudain, les haut-parleurs crachotent à nouveau.

— QUEL LANCER! crie Phil, plus vivant que jamais.

Il se penche à l'avant de sa cabine, le micro dans une main et le javelot dans l'autre.

— MESDAMES ET MESSIEURS, Gaëlle Gaillard vient tout juste de faire entrer son javelot — ainsi qu'elle-même — dans l'histoire athlétique de Nordouest!

M. Desméninges court rejoindre Gaëlle, s'agenouille devant elle, la fait grimper sur son dos et la porte en triomphe sur la piste, tout autour du stade.

Sur le terrain, Tommy et M. Constrictor sont figés, l'air ahuri, et essaient de comprendre ce qui vient de se passer. Plus inhabituel encore, Punk a cessé de japper et de grogner.

Soudain, M. Constrictor reprend vie, s'avance d'un pas déterminé jusqu'à la table des juges et se met à agiter les bras, à crier et à désigner M. Desméninges à répétition.

Je demande :

— Que dit-il, Guillaume?

— Il veut une reprise, explique Guillaume en utilisant sa Super Oreille pour entendre leur conversation.

— Sous quel prétexte?

— Selon lui, Tommy a été distrait par les numéros de M. Desméninges.

Toutefois, les juges ne semblent pas d'accord. Ils secouent tous la tête en signe de refus.

M. Constrictor se met à taper sur la table et à les menacer.

Il le fait si fort que nous parvenons à l'entendre sans l'aide de la Super Oreille de Guillaume. Il réclame une reprise sous le prétexte que, s'ils n'accordent pas un second lancer à Tommy, il les empoignera et les serrera tous de toutes sortes de manières désagréables, jusqu'à ce qu'ils éclatent.

Chapitre 42

Les 10 menaces les plus... éclatantes de M. Constrictor

1. Je vais vous serrer la tête comme un vulgaire bouton d'acné jusqu'à ce qu'elle éclate.
2. Je vais vous serrer la tête comme une cloque jusqu'à ce qu'elle éclate.
3. Je vais vous serrer la tête comme un furoncle jusqu'à ce qu'elle éclate.
4. Je vais vous serrer la tête comme un ballon jusqu'à ce qu'elle éclate.
5. Je vais vous serrer la tête comme une guimauve jusqu'à ce qu'elle éclate.
6. Je vais vous serrer la tête comme une bulle de papier à bulles jusqu'à ce qu'elle éclate.
7. Je vais vous serrer la tête comme un sac de plastique vide jusqu'à ce qu'elle éclate.
8. Je vais vous serrer la tête comme un tube de dentifrice jusqu'à ce qu'elle éclate.
9. Je vais vous serrer la tête comme un pamplemousse jusqu'à ce qu'elle éclate.
10. Je vais vous serrer la tête comme un œuf jusqu'à ce qu'elle éclate.

Chapitre 43

Avec Adibouton, dites adieu aux comédons!

Mais cela n'y change rien. Les juges ne craignent pas les menaces de M. Constrictor. Le lancer de Gaëlle — et le nouveau record de Nordouest — demeurent donc valides.

Janie se tourne de mon côté et m'attrape le bras.

— Nous pouvons réussir, Henri, me dit-elle, les yeux brillants. Pour la première fois, je crois que nous pouvons vraiment gagner!

— Bien sûr que nous pouvons vraiment gagner, répète M. Dutonus qui vient de surgir derrière nous. Mes méthodes d'entraînement de pointe sont tellement efficaces qu'elles fonctionnent même sur des minus maladroits! Je suis assurément le meilleur entraîneur de Nordouest! Je parie que l'équipe professionnelle de Nordouest me regrette beaucoup, à présent!

M. Dutonus s'éloigne vers le terrain en se pavanant.

— Cet homme est vraiment... très désagréable, lâche Janie en plaquant aussitôt sa main sur sa bouche, honteuse d'avoir dit quelque chose de vilain à propos de quelqu'un.

— Ça va, Janie, dis-je en éloignant sa main de devant sa bouche. Tu l'as dit de la façon la plus délicate possible.

Janie attrape subitement ma main.

— Hé! Est-ce Fred et Olivier, par hasard, que je vois là-bas? dit-elle.

Je lui demande :

— Où ça?

— Là-bas, devant la tribune de l'académie Ouest de Nordouest. En train de parler à M. Constrictor.

— Tu as raison, dis-je. Guillaume, oriente ta Super Oreille dans cette direction et dis-nous ce qu'ils racontent.

— Adibouton, déclare Guillaume.

— Adibouton? répète Janie.

— Oui! confirme Guillaume. Apparemment, Fred sort avec une fille ce soir et il s'inquiète d'avoir trop de boutons.

— Fred sort avec une fille? répète Janie, incrédule. Quel genre de fille voudrait sortir avec Fred? Et pourquoi Fred discuterait-il de ça avec M. Constrictor?

— Eh bien, M. Constrictor semble connaître une nouvelle crème appelée Adibouton, qui va se charger de faire disparaître tous les boutons de Fred d'un seul coup et pour toujours.

— Voyons! réplique Janie. Tu inventes tout ça!

— Je n'invente rien! proteste Guillaume. C'est bien ce qu'ils disent!

— Passe-moi cette Super Oreille, dis-je en la lui arrachant des mains et en l'installant contre mon oreille.

— Ce ne sont pas eux qui parlent, dis-je. La Super Oreille capte d'autres ondes; il y a de l'interférence. Tu écoutais une publicité à la radio.

— Ah, tout s'explique alors! dit Guillaume. J'imagine que la Super Oreille a besoin de quelques réglages. Après tout, il s'agit seulement d'un prototype.

— Il reste que si Fred et Olivier ne sont pas en train de

parler de boutons d'acné avec M. Constrictor, dit Janie, alors, de quoi discutent-ils?

— Aucune idée, dis-je. Peut-être qu'ils lui demandent un autographe?

— Mais il est notre adversaire, objecte Janie.

Je lui rappelle :

— Il était quand même lutteur professionnel. Et n'oublie pas que Fred, Olivier et leur père en sont de grands admirateurs.

— Hum... fait Janie, songeuse. Ils n'ont pas l'air d'être à la chasse aux autographes. Ils n'ont même pas de papier ni de crayon.

Je hoche la tête. Elle a raison.

— Peut-être qu'ils veulent seulement pouvoir raconter qu'ils lui ont parlé.

— Parlé? répète Janie. Ils vont plutôt pouvoir raconter qu'ils se sont faits « disputer par lui ». Il semble très fâché.

— Il a toujours l'air très fâché, dis-je. Trop de froncements de sourcils.

— C'est bien possible, approuve Janie. Ma mère dit que si le vent tourne au moment où on grimace, on reste toute la vie avec ce visage-là.

C'est alors que Phil Bobine nous interrompt.

— Nous voici donc rendus à l'épreuve du quatre cents mètres, épreuve habituellement dominée par l'académie Ouest de Nordouest, mais avec Lucas Latrouille lancé dans une série de victoires plus flamboyantes qu'une *lame de rasoir dans une marmite remplie d'alligators en train de bouillir*, qui peut prédire ce qui va se passer aujourd'hui?

Chapitre 44

Lucas a disparu!

Au même moment, M. Dutonus accourt vers nous.

— Où est Lucas Latrouille? demande-t-il. C'est bientôt le départ du quatre cents mètres et il est notre meilleur coureur!

Nous regardons autour de nous, mais ne l'apercevons nulle part.

— Il était là il y a une minute, dis-je.

— J'espère qu'il va bien, s'inquiète Janie.

Je m'inquiète :

— Peut-être que la pression était devenue trop forte pour lui.

— La pression? Trop forte? répète M. Dutonus. Je vais lui en donner, moi, trop de pression, s'il ne se présente pas à la ligne de départ d'ici cinq minutes!

— Je vais aller voir sous les gradins, propose Gaëlle.

— Je vais aller voir à l'extérieur du stade, déclare Janie, au cas où il aurait décidé de s'enfuir.

— Je vais aller voir dans l'estomac de Punk, dit Jacob. Juste au cas.

— Ce n'est pas drôle, dis-je.

Jacob et moi cherchons partout. Enfin, partout sauf dans l'estomac de Punk. Nous nous trouvons à l'autre bout du stade, là où il n'y a aucun spectateur, lorsque nous passons devant une poubelle.

— Henri, est-ce que je peux te poser une question? demande Jacob.

— Quoi donc? dis-je.

— Est-ce que les poubelles ont des yeux?

— Habituellement non, dis-je.

— Dans ce cas, je crois que nous avons trouvé Lucas.

Jacob désigne une poubelle. Par les trous situés près de son bord supérieur, on peut voir deux yeux.

— Lucas? dis-je. Qu'est-ce que tu fais là-dedans?

— Je me cache, répond-il.

— Bon, eh bien, nous t'avons trouvé à présent, déclare Jacob, alors tu ferais mieux de sortir de là. Ta prochaine course va bientôt commencer.

— C'est pour ça que je me cache, répond Lucas. Je ne peux pas faire cette course.

— Pourquoi?

— Parce que j'ai peur.

— Peur de perdre?

— Non, répond Lucas. Peur de gagner!

— Mais tu ne dois pas avoir peur de gagner! s'écrie Jacob. Tu es déjà monté quelques fois sur la plus haute marche du podium aujourd'hui et tu n'es pas tombé.

— Je n'ai plus peur de ça maintenant, répond Lucas.

Je demande :

— De quoi as-tu peur alors?

— De Fred et d'Olivier Rustaud, répond Lucas. Je m'en allais au vestiaire tout à l'heure quand ils m'ont attrapé. Ils m'ont dit qu'ils allaient me serrer la tête jusqu'à ce qu'elle éclate si je remportais cette course.

— Mais pourquoi feraient-ils ça? demande Jacob. Ils

font partie de notre équipe!

— Peut-être, dis-je, mais à bien y penser... peut-être pas.

Tout à coup, la vérité me saute aux yeux.

Il n'y a pas une minute à perdre.

— Jacob, dis-je, il faut que Gaëlle, Janie et toi vous formiez une haie autour de Lucas et que vous le protégiez quand il aura fini la course. Ne laissez personne lui faire de mal. D'accord?

— D'accord, répond Jacob en fronçant les sourcils, mais dis-moi... Henri... tu ne vas pas faire une bêtise, hein?

— Je vais essayer de ne pas en faire, dis-je en me précipitant à la recherche de Fred et d'Olivier.

C'est pourtant ce que je m'apprête à faire.

Je m'apprête à faire la chose la plus stupide et la plus dangereuse qui soit.

Je m'apprête à avoir une petite conversation avec Fred et Olivier Rustaud.

En tête-à-tête.

Chapitre 45

Henri contre Fred

J'ai vite fait de les trouver.

Ils tiennent Paméla et Gina acculées contre un mur et, bien que je ne puisse entendre leurs paroles, je constate que les jumelles sont manifestement effrayées.

Je me glisse en douce derrière Fred et Olivier, et leur crie :

— Laissez-les partir! Et leurs chevaux aussi!

Fred et Olivier se retournent d'un bloc et me fixent avec surprise.

Paméla et Gina profitent judicieusement de l'occasion pour sauter sur leurs chevaux imaginaires et s'enfuir au galop.

— Tiens, tiens, tiens, dit Fred avec un sourire mesquin. Si ce n'est pas mon vieux copain Henri Tournelle.

— Je ne suis pas ton vieux copain, Fred, lui dis-je.

— Je crois que tu devrais apprendre les bonnes manières, Henri. Tu ne trouves pas, Olivier?

— Tout à fait, confirme Olivier. Il peut être très impoli quand il veut.

— Je n'ai pas besoin d'une leçon de bienséance, dis-je. Et si c'était le cas, tu es bien la dernière personne à qui je m'adresserais pour me l'enseigner!

Fred cesse aussitôt de sourire.

— Tu as un problème, Tournelle? demande-t-il.

— Oui, dis-je. J'ai un gros problème.

— Tu parles que tu as un problème, ricane Olivier.

— La ferme, Olivier, dit Fred. Henri essaie de nous expliquer son problème.

Je réplique :

— Qu'avez-vous dit à Lucas Latrouille?

Le visage de Fred reste complètement impassible.

— Rien.

— Dans ce cas, pourquoi se cachait-il dans une poubelle? dis-je.

— Je l'ignore! répond Fred sans pouvoir retenir un petit sourire narquois. Peut-être parce qu'il aime les poubelles.

— Bien dit, Fred! souligne Olivier.

— Ou peut-être est-ce parce que vous lui avez dit que s'il gagnait la prochaine course, vous alliez lui serrer la tête jusqu'à ce qu'elle éclate... comme dit le Boa, votre héros.

— Où veux-tu en venir? demande Fred.

— Je sais que vous travaillez pour M. Constrictor. Je vous ai vus lui parler.

— Nous lui demandions simplement un autographe, pas vrai, Olivier?

Olivier hoche la tête. Je réplique :

— Vous n'aviez ni crayon ni papier. Et puis, dans la cour d'école, pourquoi n'avez-vous jamais été touchés lors des attaques d'autobus? Parce que vous saviez qu'ils s'en venaient! Et comment M. Constrictor a-t-il su qu'il devait entraîner Punk à attaquer les bananes? Parce que vous lui avez parlé de M. Desméninges, voilà pourquoi! Et maintenant que, pour la première fois, nous sommes sur la voie de la victoire, M. Constrictor vous a dit de vous promener et de menacer tous les membres de notre équipe.

Eh bien, vous ne vous en tirerez pas aussi facilement. Je vais aller prévenir M. Barbeverte, le directeur. Ça va mal pour toi, Rustaud... pour toi et pour ton simplet de frère!

— Hé! proteste Olivier. Je ne suis pas simplet!

— Oui, tu l'es, répond Fred à Olivier avant de se retourner vers moi. Tu as bientôt fini, Tournelle?

Mon cœur bat à tout rompre.

Je souffle.

Je sue.

Je sens mon estomac se nouer d'une drôle de façon.

Mais je n'ai pas fini.

Pas tout à fait.

— Attends que tout le monde apprenne ça, dis-je. Tu ne seras plus Fred « le petit ange » Rustaud. Tout le monde va enfin découvrir ta vraie nature.

Fred sourit.

— Tu as fini, maintenant, Tournelle?

— Oui, dis-je.

— Tu as une dernière volonté à exprimer avant que Fred et moi nous te serrions la tête jusqu'à ce qu'elle éclate? demande Olivier en avançant vers moi, les mains tendues.

— Non, non, non, frérot, intervient Fred en étendant le bras pour arrêter Olivier. Pas de serrement.

— Pas de serrement? s'étonne Olivier. Est-ce que tu te sens bien?

— Je vais très bien, répond Fred. Je ne me suis jamais senti aussi bien. Henri, si tu crois que tu dois mettre M. Barbeverte au courant de ce que tu penses savoir, alors fais ce que tu dois faire. Malgré ce que tu peux penser de moi, je respecte ton honnêteté. À vrai dire, elle m'inspire.

Si tu racontes au directeur tout ce que tu sais, alors moi aussi, je vais lui dire — ainsi qu'à la police de Nordouest — tout ce que je sais à ton sujet.

Je proteste alors :

— Tu n'as rien sur moi!

— En es-tu bien sûr, Henri? dit-il. Après tout, je sais quelques petites choses au sujet de ce costume de banane.

Je répète :

— Costume de banane? Je ne sais pas de quoi tu parles. Tu me fais marcher.

— Vraiment? insiste Fred.

— Le fais-tu marcher? demande Olivier.

— Si tu as quelque chose à me dire, alors vas-y, dis-le.

— Tu te souviens de ce camion-citerne qui a fait une embardée et qui s'est écrasé contre le Banamagasin? demande Fred.

Mon cœur se met à battre la chamade de nouveau. La sueur se remet à couler de mon front.

— Je ne sais pas de quoi tu parles! dis-je.

C'est un mensonge, bien sûr. Je sais exactement de quoi il parle. La question est plutôt : que sait-il au juste?

— Ah, mais moi je crois que tu sais, insiste Fred. Ça t'ennuierait de me donner la vraie raison pour laquelle ce camion-citerne a quitté la chaussée?

— C'était un accident, dis-je.

— Ce n'était pas un accident, réplique Fred. J'ai tout vu!

— Moi aussi, ajoute Olivier.

— Tu n'étais même pas là, fait remarquer Fred.

— Oh... fait Olivier.

— Tu mens, Fred, dis-je.

Mais pour une fois, Fred ne ment pas. Il sait tout. Il connaît toute cette triste histoire.

— Tu ne vas rien raconter à personne, n'est-ce pas? lui dis-je.

— Bien sûr que non, répond Fred. Je n'y songerais même pas... à moins que tu ne fasses une bêtise, évidemment... Nous sommes bien d'accord?

— Oui, dis-je. Nous sommes d'accord.

— C'est bien d'être d'accord, déclare Fred. C'est bien quand les amis se comprennent. Et maintenant, Tournelle, va-t'en!

Chapitre 46

Les gardes du corps de Lucas

Je retourne vers notre tribune, pas trop sûr d'avoir accompli quoi que ce soit en affrontant Fred et Olivier.

Je voulais découvrir s'ils travaillaient vraiment pour M. Constrictor, et si oui, les en empêcher.

Mais à présent, je suis certain qu'ils travaillent pour M. Constrictor, et ils savent que je le sais, mais je ne peux pas les empêcher de travailler pour lui parce que Fred en sait trop sur moi. Et pire encore, il sait maintenant que je sais qu'il en sait trop.

Vous êtes mêlés? Ce n'est pas si compliqué, pourtant.

En résumé, si je dis la vérité au sujet de Fred, il dira la vérité à mon sujet, et c'est un risque que je ne peux absolument pas courir.

Je deviens donc la marionnette de Fred.

Et s'il y a une chose que je déteste, c'est d'être la marionnette de quelqu'un, tout particulièrement celle de Fred.

Quand je reprends ma place dans la tribune, je suis encore dans un tel état de choc que je remarque à peine qu'en bas, sur le terrain, Lucas est dans la dernière ligne droite de sa course de quatre cents mètres.

La foule est électrisée.

Et Phil Bobine aussi.

— Lucas Latrouille domine cette course! lance-t-il avec

excitation. Il court plus vite qu'un *pissenlit vêtu d'une robe rose*! Cours, Lucas, cours!

Pour ma part, je hurle :

— NON, LUCAS, NON!

Je m'inquiète pour Lucas, mais à vrai dire, je m'inquiète encore plus pour moi. C'est moi que Fred et Olivier blâmeront si Lucas gagne cette course.

Mais il est déjà trop tard. Lucas franchit la ligne d'arrivée avec au moins trois secondes d'avance sur son plus proche rival de l'académie Ouest de Nordouest.

Au même moment, Jacob, Gaëlle et Janie vont former un petit cercle autour de lui et l'escortent en sécurité jusqu'au podium des vainqueurs, en attendant qu'il entreprenne une autre ascension jusque sur la plus haute marche.

La foule devient folle.

Phil Bobine devient fou.

M. Desméninges devient fou.

Et M. Constrictor devient fou, lui aussi. Mais M. Constrictor ne devient pas fou de joie. Il devient fou furieux.

De toute évidence, il comptait sur les menaces de Fred et d'Olivier pour interrompre sur-le-champ notre suite de victoires. Mais voilà : tout comme ses attaques d'autobus, son chien détesteur-de-banane et ses tentatives d'intimidation auprès des juges, cela ne fonctionne pas.

Alors que M. Desméninges entonne un cri de ralliement victorieux devant notre tribune, M. Constrictor traverse le terrain en trombe et se dirige droit vers lui.

Il est flanqué de Tommy Glou d'un côté et de Punk de l'autre, qui bave à qui mieux mieux et qui grince des dents.

Je ne sais pas trop ce qu'il a en tête exactement, mais je sais pertinemment que ce ne sont pas des félicitations.

Chapitre 47

Constrictor contre Desméninges

— Hé! Desméninges! grogne M. Constrictor. Tournez-vous et venez vous battre si vous êtes un homme!

M. Desméninges cesse de danser et se retourne.

— Me battre avec vous? Pourquoi donc? Et me battre comme un homme en plus? Mais c'est impossible! Je suis une banane!

— Vous vous croyez drôle? demande M. Constrictor en avançant son visage dangereusement près de la tête de banane de M. Desméninges.

— Non, répond M. Desméninges. Mon rôle est de motiver les élèves de mon école.

— Vraiment? dit M. Constrictor. J'aurais juré que votre rôle était de distraire les élèves de *mon* école et de les embêter avec vos singeries ridicules.

— Je suis navré que vous le preniez ainsi, dit M. Desméninges, mais chaque équipe a le droit d'avoir une mascotte. Et votre chien n'est pas un ange. Vous ne vous en rendez peut-être pas compte, mais dans les faits, il terrorise certains de nos élèves.

— Que voulez-vous dire? demande M. Constrictor en retroussant sa lèvre supérieure d'une manière très effrayante... à la manière de Punk.

— Eh bien, avec sa façon de grogner et de baver, commence M. Desméninges, il a l'air plutôt... dangereux...

et puis, ses dents doivent vraiment faire mal...

— Êtes-vous en train de dire que mon chien est agressif? lâche M. Constrictor pendant que Punk essaie de se jeter sur les jambes de M. Desméninges.

— Pas du tout! dit M. Desméninges en reculant. Je dis juste que...

— Si vous insultez mon chien, c'est moi que vous insultez! prévient M. Constrictor.

— Laissez-moi au moins finir... continue M. Desméninges. Je dis juste que...

Mais M. Constrictor n'est pas d'humeur à laisser M. Desméninges finir. Il tend la laisse de Punk à Tommy et ouvre grands les bras.

Au début, je crois qu'il veut étreindre M. Desméninges, mais quand j'entends la gorge de M. Desméninges émettre un gargouillement ultra-aigu, je comprends ce qui est en train de se passer.

M. Desméninges se fait serrer le cou!

— Je vais donner une bonne frousse à vos méninges, monsieur Desméninges! rugit M. Constrictor. Je vais vous serrer les méninges jusqu'à ce qu'elles éclatent!

— On dirait que ça commence à chauffer sur le terrain, annonce Phil qui ne semble pas se questionner ni se soucier de ce qu'il commente, pourvu qu'il ait quelque chose à commenter. Il s'agit de Carl — le Boa — Constrictor qui affronte M. Desméninges, la banane géante. Je ne voudrais pas anticiper l'issue du combat, parce que tout peut arriver, mais je dirais que le Boa a une bonne prise sur la banane et je me demande bien comment la banane pourra répliquer.

Une foule importante se presse autour des deux

enseignants.

M. Desméninges tente de s'enfuir, mais son costume de banane l'en empêche.

Fred et Olivier sont au premier rang, trop ravis d'avoir une place de choix pour voir leur héros à l'œuvre en mode serrement/étreinte/compression maximum.

David désigne son manuel.

— Ceci est tout à fait contre le règlement!

Mais Punk est le seul à lui répondre. Il saute sur David, lui arrache le manuel des mains et l'avale tout rond.

— Arrêtez-le quelqu'un! crie Janie.

— C'est trop tard! répond David. Il l'a déjà avalé!

— Pas Punk, idiot! lui crie Janie. M. Constrictor! Il est en train de tuer M. Desméninges!

Chapitre 48

Serré-serré!

Janie a raison.

Je n'ai jamais entendu une banane produire un son pareil, ni aucun autre être humain, d'ailleurs. Et je n'ai jamais entendu Janie traiter quelqu'un d'idiot.

À coup sûr, l'heure est grave.

Non seulement sommes-nous en train de voir le meilleur enseignant que nous ayons jamais eu se faire serrer le cou à mort, mais nous voyons aussi nos chances de gagner être réduites à néant

— Dégagez la voie! lance une voix puissante. Laissez-moi passer.

C'est Gaëlle!

Ce qui est une bonne chose.

Si quelqu'un peut sortir M. Desméninges de l'étreinte du Boa, c'est bien elle.

Elle enveloppe M. Constrictor de ses bras puissants et, au prix d'un effort inouï, elle réussit à libérer le corps mou de M. Desméninges sous le costume de banane.

La déception de Fred et d'Olivier est évidente.

— Tu es vraiment une trouble-fête, Gaillard, déclare Fred.

— Ouais, renchérit Olivier. C'est injuste! Il fallait laisser le Boa faire son travail!

Gaëlle fait comme si elle n'avait rien entendu.

Elle relâche son étreinte autour de M. Constrictor. Il se retourne pour lui faire face.

— Tu as du culot, dit-il d'une voix menaçante. Tu as beaucoup de culot... en plus d'une poigne d'acier. J'admire ça... même si tu n'es pas dans la bonne équipe. J'imagine que tu n'envisages pas de changer d'école? Tu serais la bienvenue à l'académie Ouest de Nordouest.

Gaëlle ne répond pas. Elle se contente de le fixer d'un air incrédule.

— Je vais prendre ça pour un non, dit-il, mais fais-moi signe si jamais tu changes d'idée.

Puis il fait demi-tour et s'éloigne.

— Tommy! lance-t-il d'une voix retentissante. Prends Punk avec toi et suis-moi. Nous partons d'ici.

Tommy, qui semble craindre autant que nous le chien qui grogne et qui mord sa laisse, suit M. Constrictor. Tous deux repartent vers la tribune de l'académie Ouest de Nordouest.

Ils sont accueillis par des acclamations frénétiques.

Au même moment, M. Desméninges laisse échapper un gémissement de douleur.

— Est-ce que ça va, monsieur Desméninges? demande Janie, accroupie à ses côtés sur le terrain.

— Non, répond M. Desméninges. Je ne crois pas. J'ai l'impression d'avoir été comprimé!

— C'est parce que vous l'avez été! confirme Gaëlle. Par M. Constrictor.

— Dans ce cas, tout s'explique, dit M. Desméninges.

— Pouvez-vous vous lever? demande Jacob.

— Je ne crois pas, répond M. Desméninges. Tout mon corps est engourdi.

Nous échangeons un regard.

C'est mauvais signe.

Comme un ange tombé du ciel, Mme Petitsoins apparaît soudainement parmi nous.

— Excusez-moi, crie-t-elle en se frayant un chemin parmi la foule. Laissez passer l'unité mobile Petitsoins! Dégagez!

Elle transporte un gros coffre métallique du genre de ceux que les menuisiers utilisent pour ranger leurs outils. Le sien, cependant, est blanc avec une grosse croix rouge sur le couvercle et, quand elle l'ouvre, ses tablettes rétractables révèlent un assortiment incroyable de pansements. Il y en a de toutes les formes et de toutes les tailles : des ronds, des carrés, des petits, d'autres à motifs et même certains imperméables.

— Oh, bonté divine ! s'écrie-t-elle en apercevant M. Desméninges. Oh là là !

— Qu'y a-t-il? demande M. Desméninges. Est-ce grave?

— Très grave, répond Mme Petitsoins. Il vous faut un pansement. À vrai dire, il vous faut de nombreux pansements! Mais vous devrez d'abord sortir de ce costume.

— C'est impossible! s'écrie M. Desméninges. Je suis la mascotte de Sudest de Nordouest de Centreville! La compétition n'est pas encore terminée! Il reste le décathlon! Ils ont besoin de moi!

— Eh bien, déclare Mme Petitsoins en retirant à M. Desméninges la tête du costume de banane, vous ne leur serez pas d'une grande aide dans l'état où vous êtes. Vous allez devoir trouver quelqu'un pour vous remplacer.

— Mais il n'y a personne d'autre, dis-je. Seul M. Desméninges peut le faire!

— Écoute-moi bien, Henri, dit Mme Petitsoins. M. Desméninges a été comprimé très fortement. Si je ne me dépêche pas de lui appliquer quelques pansements, il pourrait bien ne pas s'en sortir du tout. À présent, aide-moi à lui retirer ce costume! S'il te plaît!

Je hoche la tête, m'agenouille et aide M. Desméninges à s'extirper du costume. Voilà un bon moment qu'il danse avec ce costume sur le dos et j'ignore depuis quand il le porte, mais chose certaine, il empeste. Quelque chose qui rappelle l'odeur de banane pourrie.

— Merci, Henri, dit M. Desméninges. Je suis vraiment désolé de la tournure des événements. Peux-tu faire la mascotte à ma place?

— Moi? dis-je. Vous voulez que moi, je fasse la mascotte-banane?

— Oui, répond M. Desméninges, pourquoi pas?

— Parce que je n'y connais rien! dis-je. Voilà pourquoi. C'est tout un défi de vous succéder, monsieur Desméninges. Je n'arriverai à inspirer personne… J'arriverai seulement à être la risée de tous.

— Ce n'est pas si difficile, proteste M. Desméninges.

— Je suis désolé, dis-je, mais c'est impossible.

La voix de Phil se fait alors entendre dans le haut-parleur.

— Mesdames et messieurs, quel revirement pour l'académie Ouest de Nordouest! Ils dominent cette compétition à la manière de l'académie Ouest de Nordouest d'autrefois, tandis que la mascotte de Sudest de Nordouest de Centreville gît blessée sur le terrain. L'académie Ouest de Nordouest a déjà accumulé des victoires convaincantes à la course de haies et au saut en hauteur, et les élèves de première année ont facilement remporté la très chaudement disputée course de l'œuf dans la cuillère! Cependant, la compétition n'est pas terminée. Les équipes sont pratiquement à égalité. Il semble bien que le décathlon sera l'épreuve décisive de la journée.

— J'ai peur, dit Lucas. J'ai vraiment peur.

— Comme nous tous, Lucas, dit Janie en lui tapotant le bras. Comme nous tous.

Chapitre 49

Si le costume te va...

— Voyons qui d'autre pourrait enfiler le costume, dit Gaëlle.

Elle tente de glisser l'un de ses bras puissants dans une manche, mais c'est peine perdue.

— Il est trop petit pour moi.

Elle le tend à Lucas.

— J'ai trop peur de le porter, dit-il en le refilant aussitôt à Jacob.

— Il est trop grand pour moi, dit-il en enveloppant son corps maigre dedans.

Il le passe à Janie.

— Beaucoup trop grand pour moi aussi, dit-elle.

Gaëlle reprend le costume et le brandit devant moi.

— Henri! s'écrie-t-elle. C'est exactement ta taille!

— Naaan, dis-je. La tête ne va pas du tout.

— C'est faux, réplique Gaëlle. Tu sais, à bien y regarder, ta tête a un peu la forme d'une banane.

— Écoute, dis-je à Gaëlle en faisant comme si je n'avais pas entendu sa remarque, même s'il m'allait, je ne le mettrais pas. Que fais-tu de la folie de la mascotte?

— Tu ne le porteras pas assez longtemps pour l'attraper, riposte Gaëlle. Il ne reste que l'épreuve du décathlon. Il faut porter le costume pendant des heures pour attraper la folie de la mascotte.

— Je ne peux pas! dis-je.

— Mais nous allons perdre si tu ne le fais pas! insiste Janie.

— Mais je dois rédiger mon article!

— Quel article? s'écrie Janie. Celui qui raconte que l'école Sudest de Nordouest de Centreville a encore une fois été battue par l'académie Ouest de Nordouest? Tu n'as pas besoin de perdre une minute à rédiger cet article : prends celui de l'année dernière et change la date, c'est tout.

— Tu ne comprends pas, dis-je. Je ne dis pas que je ne veux pas... je dis simplement que c'est IMPOSSIBLE!

— Ma mère dit toujours que le mot *impossible* n'existe pas, rétorque Janie.

— Et elle a raison, appuie M. Desméninges.

— Et elle a tort, dis-je. Je crois qu'il est temps que je vous dise la vérité à propos de ce costume de banane et que je vous explique pourquoi je ne peux absolument pas le porter.

— Oui, dit Janie, je crois que tu ferais mieux de nous expliquer.

Je prends une grande respiration et je commence mon récit.

Chapitre 50

La vérité

— Un été, j'ai décroché un emploi de mascotte promotionnelle pour le Banamagasin de Nordouest. Mon travail consistait à porter le costume de banane, à me tenir dehors et à agiter la main en direction des voitures qui passaient.

— Génial! Quel emploi de rêve! soupire Janie. J'adore agiter la main. Pourquoi as-tu quitté cet emploi?

Je prends une autre grande respiration.

— Eh bien, tout se passait à merveille et les ventes de bananes augmentaient... jusqu'au jour malheureux où un chauffeur de camion-citerne a été tellement surpris à la vue d'une banane géante le saluant qu'il a perdu le contrôle de son véhicule et qu'il est allé s'écraser contre le Banamagasin.

— Quelqu'un a-t-il été blessé? s'inquiète Janie.

— Par miracle, non, dis-je, mais vu la quantité de pelures de bananes se trouvant dans le magasin, il a fallu au moins dix minutes au camion pour s'immobiliser après une longue glissade. Il a eu le temps de traverser Nordouest d'un bout à l'autre... et de laisser une trace de destruction derrière lui.

— Je me souviens de ça! s'exclame Jacob. Mais j'ignorais que c'était toi qui l'avais causé!

— Personne ne le sait. Le chauffeur a eu une commotion cérébrale et ne s'est jamais souvenu de ce qui avait causé l'accident. Après l'accident, je me suis enfui. J'ai lancé le costume par-dessus la clôture d'un terrain vague et j'ai continué à courir.

— C'est donc ainsi que M. Desméninges l'a trouvé! dit Lucas.

Je hoche la tête.

— Oui... et c'est pour cette raison que je ne peux pas être la mascotte. J'ai peur de renfiler ce costume.

— Henri, dit Janie, c'est sûr que cet événement est regrettable, mais c'est du passé.

— Facile à dire.

— Peut-être, oui, reprend-elle, mais je suis sûre d'une chose : tu ne vaincras jamais ta peur tant que tu n'auras pas renfilé ce costume. Est-ce ainsi que tu veux vivre toute ta vie? En ayant peur d'enfiler un costume de banane?

Je lui fais remarquer :

— Je me suis bien débrouillé jusqu'ici sans avoir à le faire.

— Mais pas aujourd'hui, insiste Janie. Parce que si tu refuses de revêtir ce costume maintenant, quelque chose d'encore plus terrible va se produire.

— Qu'est-ce qui pourrait être plus terrible que de faire perdre le contrôle à un camion-citerne et de le voir détruire la moitié de la ville de Nordouest?

— Laisser gagner cette bande de mauvais perdants de l'académie Ouest de Nordouest, alors que nous sommes si près de les battre! s'écrie-t-elle. Nous avons encore une chance de réussir, Henri, mais seulement si tu enfiles ce costume. En plus, tu es le seul à avoir de l'expérience comme banane!

— Je ne sais pas... dis-je.

Janie me tend le costume.

— Alors, Henri? Le feras-tu?

Je veux le faire.

Je veux vraiment le faire.

Mais j'ai peur.

M. Desméninges lève les yeux et m'adresse un regard suppliant.

— S'il te plaît, Henri, dit-il. J'ignore combien de temps il me reste... mais si je peux vivre assez longtemps pour assister à la victoire de l'école Sudest de Nordouest de Centreville, alors tout cela aura valu la peine!

Chapitre 51

La véritable vérité

Janie me tend le costume.

J'ai peur, mais comment puis-je refuser d'exaucer le souhait d'un homme qui a été comprimé par le Boa?

Après tout ce que M. Desméninges a fait pour nous, ce n'est pas la fin du monde.

En fait, c'est la fin du monde pour moi, mais je ne peux pas refuser.

— C'est d'accord, dis-je.

— Merci, Henri! dit M. Desméninges, qui ferme les yeux en souriant.

Je passe un pied dans le costume et enfile une des jambières en tricot, puis je fais de même avec l'autre pied.

— Très bien, approuve Janie.

— Tu as fière allure, dit Gaëlle pendant que j'enfile les manches.

— Merci, dis-je. Quelqu'un peut remonter la fermeture à glissière?

— Je vais le faire, répond Jacob.

Je prends une grande respiration.

Plus question de changer d'idée à présent.

Jacob remonte la fermeture à glissière.

— Et maintenant, la tête, dit Lucas. Es-tu prêt?

— Je crois que oui, dis-je en m'agenouillant.

Lucas dépose solennellement la tête de banane sur la mienne. Au moment où elle vient s'appuyer sur mes épaules, j'entends une clameur monter de notre tribune.

— Pendant que les compétiteurs se préparent pour le décathlon, la dernière épreuve de la journée, déclare Phil, le pauvre M. Desméninges, blessé, laisse le brave Henri Tournelle prendre le relais. Dans l'intérêt de l'équipe, espérons que Tournelle sera capable de poursuivre le travail de mascotte-banane de haut niveau que nous avons pu admirer jusqu'ici et souhaitons qu'il ait ce qu'il faut pour stimuler Sudest de Nordouest de Centreville et lui permettre de décrocher sa toute première victoire dans l'histoire de cette compétition.

— Alors, Henri, comment te sens-tu? demande Janie.

Je reste planté là pendant un moment. Le costume est lourd. Et chaud.

— Je ne sais pas, dis-je enfin. Je me sens bizarre. Je ne pense pas que je vais être capable de faire le travail.

— Mais bien sûr que tu peux, dit Jacob. Marche un peu autour. Tu vas vite te réhabituer au costume, tu verras.

Je tente quelques pas.

— Maintenant, lance ton poing en l'air! dit Gaëlle.

Je lance mon poing en l'air.

— C'est super, Henri! se réjouit Janie. Maintenant, essaie avec l'autre bras!

Je hausse les épaules et lance mon autre poing en l'air.

— Maintenant, essaie de faire la culbute, suggère Lucas.

Je me penche en avant, mais je perds l'équilibre et tombe par terre.

La tribune de l'académie Ouest de Nordouest au grand complet éclate de rire, me crie des insultes et me lance des déchets.

J'essaie de me relever, mais le costume est trop lourd et je tombe à la renverse.

Je lève les yeux vers les visages déçus de mes camarades de classe.

— Je suis désolé, dis-je en retirant la tête du costume. Je n'arrive tout simplement pas à balayer l'accident de mes pensées.

— Quel accident? demande Florence, qui arrive tout juste du vestiaire et qui n'a pas entendu mes aveux de tout à l'heure.

— Oh, rien, dis-je. Rien du tout, à vrai dire. Juste une minuscule petite erreur que j'ai faite alors que je portais un costume de banane et qui a provoqué l'embardée d'un camion-citerne contre le Banamagasin et qui a détruit la moitié de Nordouest. Rien d'intéressant. Juste une autre super journée dans la vie d'Henri L'ANDOUILLE Tournelle.

— L'accident du camion-citerne? Au Banamagasin? répète Florence. Ce n'est pas toi qui l'as causé.

— Bien sûr que c'est moi! dis-je. J'étais là! Je devrais le savoir!

— Et moi, je sais très bien que tu n'as rien à voir avec cet accident! réplique Florence. Mon père est enquêteur pour les accidents. C'est lui qui a rédigé le rapport officiel et qui a conclu hors de tout doute que l'accident avait été causé par un frein défectueux sur le camion-citerne.

— Il te montre ses rapports officiels? demande Jacob.

— Bien sûr, répond Florence. Pour que je vérifie ses calculs.

— Et tu es certaine que ce rapport ne contenait rien au sujet d'un garçon en costume de banane? dis-je.

— Absolument, répond Florence. Pas un mot à ce sujet.

Je n'arrive pas à le croire!

Je suis innocent!

Libéré du lourd fardeau de la culpabilité que je traînais depuis si longtemps, je me sens tout à coup le cœur léger et heureux. Dans le temps de le dire, je fais des sauts et des culbutes sur toute la grandeur du terrain.

Même les élèves de l'académie Ouest de Nordouest semblent apprécier ma performance. Je le devine parce que, même s'ils continuent à me hurler des insultes, ils cessent de me lancer des déchets.

Je saute, je donne des coups de pied, je lance mon poing en l'air, je fais la culbute, je scande des slogans, je reproduis quelques enchaînements de M. Desméninges et j'en invente de nouveaux. Je trébuche même à quelques reprises, mais cela ne semble plus avoir d'importance.

L'école Sudest de Nordouest de Centreville se régale, savourant chaque minute de ma folle tentative, complètement improvisée, de prestation de mascotte-banane. Je me retourne pour regarder mes camarades de classe.

Ils sont toujours là où je les ai laissés, mais M. Desméninges est maintenant debout parmi eux, soutenu par Jacob et Gaëlle.

Ses yeux brillent de fierté.

— Bon travail, Henri! crie-t-il. Tu as vraiment un don pour ça!

Chapitre 52

Punk

La seule personne qui ne semble pas apprécier ma performance de mascotte, c'est M. Constrictor. Et Punk, bien sûr, qui a été entraîné à détester les bananes.

C'est peut-être pour cette raison qu'il réussit à briser sa laisse encore une fois.

Ou alors, plus vraisemblablement, c'est parce que M. Constrictor, désespéré d'avoir échoué à toutes ses tentatives pour se débarrasser de nous, fait exprès de le relâcher.

J'imagine que nous ne saurons jamais comment Punk s'est échappé.

Ce que je sais, par contre, c'est de quoi ce chien a l'air lorsqu'il traverse le terrain à toute allure en fonçant droit sur moi.

Chapitre 53

De quoi a l'air Punk quand il traverse le terrain à toute allure en fonçant droit sur moi

ABSOLUMENT TERRIFIANT!

Chapitre 54

Punk contre Henri

Je fais donc la seule chose possible dans les circonstances.

Je cours.

Aussi vite que possible.

Ou, plus exactement, je tente de courir aussi vite que possible.

Même si c'est difficile de courir avec un costume de banane sur le dos, la vue des yeux plissés de Punk, de ses muscles luisants de sueur, de ses grandes dents pointues et des deux filets de bave qui dégoulinent suffit à me fournir toute la motivation nécessaire.

Enfin, tout ça et le souvenir de la leçon que M. Desméninges nous a donnée un jour sur ce qu'il faut faire lorsqu'on est poursuivi par des animaux sauvages.

Chapitre 55

3e grande leçon de M. Desméninges

Lorsqu'on est poursuivi par des animaux sauvages, il faut COURIR!

Chapitre 56

Le décathlon de la survie, 1re partie

Au même moment, on s'apprête à donner le départ du décathlon, l'épreuve décisive de la journée.

Les concurrents sont tous en position sur la ligne de départ, prêts pour la première épreuve : le cent mètres.

L'officiel de la course brandit son pistolet de départ en l'air.

— À vos marques, dit-il. Prêts...

Mais la foule se met à hurler avant qu'il ne puisse dire « Partez! ». Distraits, les concurrents regardent derrière eux et m'aperçoivent... ainsi que Punk. Nous courons à toute vitesse sur la piste vers les coureurs.

Leurs regards terrifiés parlent d'eux-mêmes.

Ils abandonnent leur position de départ et se dispersent dans toutes les directions.

L'officiel, apparemment aussi effrayé qu'eux, déclenche son pistolet sans le vouloir.

Le décathlon est officiellement commencé!

La foule crie de nouveau pendant que je file sur la piste, Punk à mes trousses.

Ce n'est toutefois pas le moment de saluer la foule ou de faire le clown. Je cours pour sauver ma peau. Je n'ai pas besoin d'imaginer qu'une bête sauvage me poursuit, comme dans les séances de représentation mentale de M. Desméninges : il y a réellement une bête sauvage qui me poursuit!

Quand je franchis la ligne d'arrivée, la foule manifeste encore bruyamment sa joie.

— Mesdames et messieurs! clame Phil. Nous venons tout juste d'assister au cent mètres le plus rapide de toute l'histoire de cette compétition! Henri Tournelle nous a offert une performance incroyable lors de cette première épreuve du décathlon. Il était suivi de près par Punk, de l'académie Ouest de Nordouest. Et ces deux concurrents ne comptent pas s'arrêter là! Ils se dirigent maintenant vers le site du saut en longueur, la deuxième épreuve du décathlon! On dirait bien qu'ils vont nous offrir un programme double! Deux épreuves pour le prix d'une!

Phil a raison. Nous nous dirigeons tout droit vers le site du saut en longueur. Mais je ne suis pas du tout intéressé à briser des records de course ni à accomplir un programme double.

Je veux juste échapper à Punk!

Je cours vers le site du saut en longueur.

Punk halète fort. Je me retourne, mais ne le vois pas. Puis je baisse les yeux. Il est là, juste derrière moi!

Je n'ai pas le temps de réfléchir.

Je saute.

La foule pousse une acclamation.

— Quel saut magnifique! s'époumone Phil. Plus long qu'un *cure-pipe spaghettifié*!

Mais mon saut n'est pas assez long pour échapper à Punk.

La foule pousse une autre acclamation.

— Un autre saut magnifique! crie Phil. Je n'ai jamais vu un chien sauter aussi loin! Ni une banane, d'ailleurs!

— Ça, c'est mon Punk! Bravo! hurle M. Constrictor depuis l'autre côté du terrain. Attaque!

Je suis pas mal sûr que d'ordonner à une mascotte d'attaquer la mascotte de l'équipe adverse est tout à fait contraire au règlement, mais comme Punk a avalé le manuel et que je suis occupé à courir pour sauver ma peau, ce n'est pas vraiment possible de vérifier.

Je regarde autour de moi.

Je fonce droit vers le cercle où se fait le lancer du poids.

Une pile de boules en métal très lourdes se trouve au milieu.

J'accélère dans leur direction en essayant de mettre autant de distance que possible entre Punk et moi. J'atteins la pile de boules, je saute par-dessus, et je me retourne pour affronter Punk.

Je m'empare d'un des poids et le balance vers lui. L'objet quitte ma main avec la vitesse et la puissance d'un boulet de canon.

Punk fonce vers la gauche.

J'en prends un autre et le lance.

Punk fonce vers la droite, se redresse, puis bondit dans les airs, droit sur moi.

Il n'y a pas une minute à perdre.

Voilà ma dernière chance, je ne dois pas rater mon coup.

Je ramasse le troisième et dernier poids, me concentre

et le lance de toutes mes forces en plein dans la gueule baveuse et grande ouverte de Punk.

Punk l'avale tout rond, comme si ce n'était rien d'autre qu'une délicieuse collation.

— Regardez-moi ça! s'enthousiasme Phil. Non seulement assistons-nous au décathlon le plus rapide du monde, ici-même aujourd'hui, mais nous observons également des lancers du poids et des « gobages » de poids dignes des Olympiques! Ce chien est plus affamé qu'un *baril rempli de buffles de l'Inde*!

Je me remets à courir.

Punk en fait autant, même s'il est légèrement plus lent qu'auparavant, à cause du surplus de poids qui se trouve maintenant dans son estomac.

Je cours vers l'emplacement du saut en hauteur.

Punk me poursuit.

Je saute.

Punk saute aussi... pas aussi haut que moi, mais suffisamment haut pour franchir la barre.

La foule pousse une acclamation. Les deux écoles se déchaînent pour encourager leurs mascottes.

— C'est la folie de la mascotte ici! crie Phil à pleins poumons. Les mascottes sont devenues complètement maboules!

J'atteins la piste et je fais un tour à la course en agitant les bras pour supplier quelqu'un de me porter secours.

Mais tous les spectateurs se mettent à agiter les bras à leur tour, pensant que je m'applique à faire mon travail de mascotte.

Si seulement ils pouvaient voir mon visage, ils

comprendraient la vérité.

Mais tout ce qu'ils peuvent voir, c'est le gros visage souriant d'une banane.

Chapitre 57

Le décathlon de la survie, 2e partie

Le reste de la poursuite est plutôt flou.

D'une manière inexplicable, alors que je cours pour sauver ma peau et que Punk court justement pour l'attraper, nous réussissons non seulement à compléter chacune des dix épreuves du décathlon dans le bon ordre, mais nous pulvérisons également les records existants dans chacune des catégories.

Nous brisons le record du quatre cents mètres.

Nous abaissons le record des haies.

Je lance un disque vers Punk avec tant de force que l'objet file plus loin qu'aucun disque ne l'a jamais fait dans le stade de Nordouest. Punk égalise toutefois ma performance en étant le premier dans toute l'histoire sportive de Nordouest à avaler un disque.

Au lancer du javelot, je fracasse les records de vitesse et de distance en tentant de viser le cœur de Punk. Cependant, Punk ne se laisse pas démonter. Il fait tomber tant le record du happement du javelot que celui du mâchonnement. En effet, après s'être propulsé en l'air pour exécuter un happement spectaculaire, il ne prend que quelques secondes pour réduire le javelot en mille morceaux.

Après avoir battu tous les records existants au

1 500 mètres, je sens que je ne pourrai plus courir bien longtemps encore.

Je commence à être fatigué.

Le costume de banane se fait lourd.

Et bien que Punk ait avalé un poids et un disque, il se rapproche dangereusement de moi.

Il peut maintenant me rattraper à tout moment, sauter sur moi et me mettre en pièces... moi et le costume.

Toutefois, plus je suis fatigué et plus la foule semble électrisée.

Je trébuche, ce qui fait exploser la tribune de l'académie Ouest de Nordouest.

— ATTAQUE! ATTAQUE! ATTAQUE! scandent-ils, histoire de rappeler à Punk la raison pour laquelle il me poursuit.

— Les voici maintenant dans la dernière ligne droite, s'écrie Phil. Il ne reste plus qu'une épreuve à disputer pour compléter ce décathlon : le saut à la perche!

Mon cœur bondit.

Voilà ma chance d'échapper à Punk une fois pour toutes.

Si Jacob a été capable de se catapulter en sécurité, moi aussi je peux le faire!

Punk se rapproche encore.

Et encore.

Et encore.

En dépit de ma fatigue extrême, j'attrape une perche, je m'élance sur la piste, je plante fermement la perche dans le sol et je me propulse en l'air.

Comme saut à la perche, c'est la perfection... au début, du moins.

Malheureusement, Punk se jette sur moi au moment même où je quitte le sol et il réussit à enfoncer profondément ses dents dans le bas de mon costume de banane.

Nous montons, montons, montons.

C'est le saut à la perche parfait réunissant un garçon et un chien... le premier de toute l'histoire du saut à la perche!

Nous passons par-dessus la barre et tombons tous deux sur le matelas de l'autre côté.

Punk et moi restons là pendant un moment, étourdis et confus, avant de retrouver nos esprits.

— ATTAQUE! ordonne toute la tribune de l'académie Ouest de Nordouest...

Voilà un ordre auquel Punk est impatient d'obéir.

Chapitre 58

Le massacre de la mascotte

Je ne sais pas si vous vous êtes déjà fait sauter à la gorge par un vilain chien d'attaque avaleur-de-poids, mangeur-de-disques et déchiqueteur-de-javelots, mais laissez-moi vous dire que ce n'est pas joli à voir.

Je suis tout de même heureux de ne pas pouvoir vous dire ce que l'on ressent dans une telle situation, car grâce à mes dernières réserves d'énergie, je parviens à retirer la tête de la banane, à défaire la fermeture à glissière et à m'évader du costume.

Juste à temps.

Punk bondit sur le costume et se met à le déchiqueter en mille morceaux.

C'est un spectacle horrible.

Oubliez la folie de la mascotte, maintenant, c'est plutôt le massacre de la mascotte.

Chapitre 59

La grande chute de M. Dutonus

Et c'est ainsi que moi, Henri Tournelle, l'athlète le plus moyen de l'école Sudest de Nordouest de Centreville, je me suis retrouvé à pulvériser plus de records en une seule journée que tout autre athlète de la région de Nordouest.

Évidemment, ça, c'est en faisant exception de Punk, mais cela ne compte pas, car c'est un chien.

Un vilain chien avec un mauvais caractère. Un chien qui déteste les bananes.

Cet après-midi-là, Punk démontre à quel point son aversion pour les bananes est réelle en déchiquetant ce costume en un million de petits morceaux.

Quand Punk termine son massacre, il ne reste plus du costume qu'un malheureux petit tas de confettis couleur banane.

Mais assez parlé de moi, de Punk et du costume de banane. Ce qui vous intéresse vraiment, c'est de savoir si l'école Sudest de Nordouest de Centreville a remporté la compétition, pas vrai?

Eh bien, pendant un long moment, personne ne le sait.

Il y a autant de confusion, de coups de poing sur la table et de discussions vives que de confettis qui virevoltent dans le stade.

Le problème principal, c'est que bien que j'aie accompli

des temps et des distances records dans les dix épreuves du décathlon, Punk en a fait tout autant.

M. Dutonus essaie de convaincre les juges que Punk ne compte pas parce qu'il est un chien, mais ils réfutent son argument en affirmant que rien dans le règlement n'empêche un chien de participer à la compétition.

M. Constrictor, lui, essaie de convaincre les juges que la performance de Punk devrait compter double étant donné la difficulté supplémentaire que les épreuves représentent pour un chien, mais ils réfutent aussi cet argument. Ils décident qu'un record est un record, peu importe qu'il ait été accompli par un chien ou par un humain, et qu'il procure le même nombre de points, peu importe qui l'a accompli.

Un silence tendu finit par planer sur le stade pendant que les juges délibèrent et calculent les pointages finaux pour la journée.

Seule la mastication frénétique de Punk qui pourchasse les rafales de confettis jaunes sur le terrain vient briser le silence.

Phil Bobine reprend alors son travail de commentateur :

— Eh bien, dit-il en poussant un soupir, pendant que nous attendons la décision finale des juges, l'atmosphère dans le stade demeure aussi tendue qu'un *chat qui ferait du patin à glace*. L'école Sudest de Nordouest de Centreville, nouvelle et améliorée, aura-t-elle été capable pour la première fois de son histoire d'aller chercher tous les points nécessaires pour remporter la compétition? Ou alors la remontée de dernière minute de l'académie Ouest de Nordouest, grâce aux efforts extraordinaires de Punk lors de ce décathlon époustouflant, permettra-t-elle à cet établissement de conserver la coupe qui trône dans sa vitrine de trophées depuis 49 ans?

— N'arrête-t-il donc jamais de parler? demande Jacob.

— C'est son travail, répond Gaëlle.

— Et ça, c'était mon travail, dit M. Desméninges en regardant avec tristesse une poignée de confettis jaunes du costume de banane filer entre ses doigts. Je l'aimais, ce costume. J'aimais être une banane.

Nous échangeons tous un regard.

Nous ne savons pas trop quoi dire dans les circonstances.

Enfin, nous comprenons qu'il se sente triste, mais nous l'aimons beaucoup plus lorsqu'il est lui-même, c'est-à-dire M. Desméninges.

Au même moment, un bruit strident provenant des haut-parleurs traverse le stade de bord en bord.

À la table de remise des médailles, une juge s'est levée. Elle tape sur le micro et semble plutôt alarmée du bruit qu'elle vient elle-même de produire.

Elle se penche vers le micro et dit :

— EST-CE QUE CE TRUC FONCTIONNE?

Sa voix résonne encore plus fort que le bruit de rétroaction acoustique.

Nous nous bouchons tous les oreilles pendant que M. Barbeverte accourt pour ajuster le volume.

— Désolée, dit la juge. Euh... Hum... Je voudrais féliciter tous les participants à cette compétition vraiment extraordinaire. Dans un monde idéal, nous remettrions une coupe à chacune des écoles, mais malheureusement, nous devons n'en remettre qu'une seule, à une seule école. Après bien des délibérations, nous sommes parvenus à une décision. Nous avons vérifié soigneusement les totaux de chacune des écoles et il nous fait plaisir d'annoncer que l'école Sudest de Nordouest de Centreville gagne par un point, grâce aux efforts héroïques d'Henri Tournelle, qui mérite un point supplémentaire pour son extraordinaire saut à la perche effectué avec un handicap occasionné par le poids de la mascotte de l'académie Ouest de Nordouest!

La tribune de l'école Sudest de Nordouest de Centreville explose sous les cris de joie et les martèlements de pieds.

— NOOOOOOON!!! hurle M. Constrictor.

Il tombe à genoux et frappe le sol de ses poings.

Punk pousse un hurlement.

Tommy Glou se met à pleurer.

Tandis que Florence et David avancent vers l'estrade des juges pour recevoir la coupe au nom de notre école, ils se font rudement bousculer par M. Dutonus.

— Ôtez-vous de là! crie-t-il en arrachant la coupe des mains de la juge et en grimpant sur le podium. J'aimerais juste m'adresser un gros remerciement à MOI-MÊME, clame-t-il d'une voix retentissante qui n'a nullement besoin de micro. Si ce n'était de mes méthodes d'entraînement de pointe, rien de tout cela n'aurait été possible. Enfin, reconnaissez-le : avoir réussi à vaincre une équipe aussi bonne que celle de l'académie Ouest de Nordouest avec une bande de nuls comme les élèves de l'école Sudest de Nordouest de Centreville, ma parole, ça dépasse l'entendement et ça prouve incontestablement que je suis un entraîneur remarquable!

— N'arrêtera-t-il donc jamais de se vanter? demande Jacob avec incrédulité.

— Non, répond Gaëlle, c'est son travail. C'est ce qu'il fait.

— Eh bien moi, j'aimerais qu'il arrête, rétorque Jacob, parce que ça m'exaspère!

Et étonnament, le souhait de Jacob est exaucé presque sur-le-champ.

Est-ce à cause de l'excitation ou du poids de la coupe? Je n'en sais trop rien... Toujours est-il que c'est à ce moment précis que l' « incroyable sens de l'équilibre » de M. Dutonus l'abandonne. Il tombe la tête la première et s'étale sur le sol.

La coupe lui échappe des mains et atterrit dans l'herbe devant lui.

— Bien fait pour lui, dit Jacob.

Chapitre 60

La réalisation d'un rêve

David et Florence récupèrent la coupe, la débarrassent des confettis et de l'herbe, et la brandissent tous deux bien haut au-dessus de leurs têtes.

Nous poussons encore des cris de joie.

Inutile de dire qu'aucun de nous ne s'offre pour aider M. Dutonus à se relever.

Enfin, aucun de *nous*.

De l'aide, M. Dutonus en reçoit plutôt d'une source tout à fait inattendue.

— Tenez, dit M. Constrictor en lui tendant la main et en l'aidant à se relever.

M. Dutonus a l'air embarrassé… et un peu effrayé.

— Oh, euh… monsieur Constrictor, dit-il. Je suis désolé que vous ayez perdu. Mais félicitations pour votre deuxième place.

M. Constrictor pousse un grognement de dédain et dit :

— La deuxième place, c'est juste une autre façon de désigner les premiers perdants. Vous et moi, nous savons cela, Dutonus.

M. Dutonus semble mal à l'aise.

— Eh bien… euh… c'est certainement une façon de voir les choses… marmonne-t-il.

— Je vous ai bien observé, Dutonus, poursuit M. Constrictor, et j'ai aimé ce que j'ai vu. Cela m'intéresserait d'en apprendre davantage sur vos fameuses méthodes d'entraînement de pointe.

M. Dutonus tente de prendre un air modeste, mais il échoue lamentablement. Il bombe le torse et dit :

— Oh! eh bien, vous savez... quand on est dans le métier depuis aussi longtemps que je le suis, on développe des petits trucs... J'ai fait les Jeux olympiques, vous savez.

— Oui, je suis au courant, dit M. Constrictor. Quand vous avez parlé de nous sur le podium, vous avez dit que nous sommes une bonne équipe. Le pensez-vous vraiment?

— Vous êtes sérieux? s'étonne M. Dutonus. Vous êtes les meilleurs! Vous êtes les meilleurs depuis 49 ans! Tout le monde sait ça. Bien sûr, mes méthodes sont puissantes, mais il leur aura fallu malgré tout beaucoup de temps avant d'être efficaces, vu la nullité des gens sur lesquels je devais les appliquer.

M. Constrictor hoche la tête en signe d'approbation.

— Aimeriez-vous venir travailler dans une vraie bonne équipe? demande-t-il. J'aurais besoin d'un homme comme vous, Dutonus. Imaginez un peu : le talent brut des élèves de l'académie Ouest de Nordouest combiné avec vos méthodes d'entraînement de pointe... Nous serions assurés de dominer cette compétition durant les 49 prochaines années! Je veux vous voir avec notre équipe dès demain et retrouver cette coupe dans notre vitrine dès l'an prochain. Qu'en dites-vous? Avez-vous besoin de temps pour y penser?

— Pas du tout, répond M. Dutonus, en bombant le torse deux fois plus qu'à l'habitude. Ce serait un honneur et la réalisation d'un grand rêve!

Ils se serrent la main et s'éloignent pour discuter de stratégie.

Nous restons plantés là à nous regarder les uns les autres, abasourdis par ce qui vient juste de se passer. Nous aussi, notre rêve le plus cher vient de se réaliser!

— Je crois que c'est le plus beau jour de ma vie! s'exclame Jacob. Non seulement nous avons remporté la compétition interscolaire de Nordouest pour la première fois en 49 ans, mais en plus, nous nous sommes débarrassés de M. Dutonus... pour toujours!

Chapitre 61

La dernière prestation de Fred et d'Olivier

Quelle journée! Je n'aime pas me réjouir du malheur des autres, mais je ne peux m'empêcher de penser que si une école entre toutes mérite les services de M. Dutonus, c'est bien l'académie Ouest de Nordouest. Ces deux-là sont faits l'un pour l'autre.

De retour de leur tour de piste de la victoire, David et Florence déposent la coupe sur la table de remise des médailles.

— Super! s'écrie Jacob alors que nous nous pressons tous autour de l'objet pour l'examiner. Regardez-moi ça! Elle doit être faite en or solide!

— Ne sois pas ridicule, réplique Florence qui, même au milieu de toute cette excitation, ne peut supporter qu'une erreur ne soit pas rectifiée. Elle est fabriquée d'un alliage de cuivre et d'étain qu'on a ensuite vaporisé de peinture dorée.

— Ça me convient très bien! lance Gaëlle de sa voix retentissante. Est-ce que je peux la prendre?

— Bien sûr, répond Florence en la lui tendant. Mais fais-y attention.

— Pourquoi? demande Jacob. Ce n'est qu'un bidule fabriqué avec un banal alliage de cuivre et d'étain qu'on a ensuite vaporisé de peinture dorée!

— Elle a quand même de la valeur, réplique Florence. Et c'est la seule coupe que nous avons.

— Ne t'inquiète pas, dit Gaëlle. Je vais y faire attention.

Avant que Gaëlle puisse prendre la coupe des mains de Florence, il y a de l'agitation autour de nous, puis une paire de petits bras blancs surgit de nulle part et s'empare de la coupe.

— Je l'ai, Fred! dit la voix d'Olivier Rustaud, reconnaissable entre toutes.

— Eh bien, ne reste pas planté là! hurle Fred. Lance-la-moi!

Olivier lance la coupe par-dessus nos têtes vers Fred, qui attend en bordure du groupe. Aussitôt, Fred s'élance en direction de la sortie du stade. Olivier se rue derrière lui.

— La coupe! crie Gaëlle à pleins poumons! Ils ont volé notre coupe!

Pendant que nous nous agitons dans la plus parfaite confusion, Lucas, lui, n'hésite pas une seconde. Il part en flèche à leur poursuite.

— Oh là là! s'écrie Janie. Regardez comme il court!

— Cours, Lucas, cours! hurle M. Desméninges en repassant subitement en mode mascotte.

« Lu-cas La-trouille,
rattrape-les, coûte que coûte!
Ramène-nous ces fripouilles
qui nous ont volé notre coupe! »

Est-ce dû au cri de M. Desméninges, à son programme pour l'excellence dans le sport, à la confiance accrue de Lucas en lui-même ou à la combinaison de ces trois facteurs? Impossible de le dire. Toujours est-il que nous voyons Lucas se lancer en l'air pour terrasser à la fois Fred et Olivier au moyen d'un plaquage spectaculaire.

— Il les a eus! s'écrie Gaëlle. Vite! Allons l'aider avant qu'ils ne s'échappent!

Les paroles de Gaëlle nous sortent de notre torpeur.

Fred est déjà en train d'essayer de se glisser sous Lucas en rampant quand Gaëlle arrive. Elle les attrape tous les deux, Olivier et lui, par le collet.

— Vous deux, vous restez avec nous, déclare-t-elle.

— Pose-nous tout de suite par terre! ordonne Olivier. Sinon...

— Sinon quoi? demande Gaëlle.

— Sinon je vais le dire à mon frère! répond Olivier. Et il ne va pas aimer ça.

— Je suis déjà au courant, espèce d'idiot! rugit Fred. Et tu as raison : je n'aime pas ça!

— Moi non plus! clame Gaëlle en resserrant sa prise sur leurs collets.

Puis tous les autres, y compris M. Desméninges et M. Barbeverte, notre directeur, se pressent autour de nous.

— De quel côté êtes-vous donc? demande Gaëlle. Se pourrait-il, par hasard, que vous souhaitiez voir l'académie Ouest de Nordouest gagner la compétition?

— Non, bien sûr que non, répond Fred. C'était pour plaisanter, pas vrai, Olivier?

— Ouais, approuve Olivier, juste pour plaisanter... Ce

n'était pas sérieux.

— Ils mentent! dis-je. Ils travaillent contre nous depuis le début!

— Des mutins? s'étonne M. Barbeverte. Des mutins à bord du Sudest de Nordouest de Centreville? Mais c'est terrible! J'ai peine à en croire mes oreilles!

— Vous n'avez pas à le faire, réplique Fred en me décochant un regard de haine pure, parce que c'est faux! Henri a tout inventé.

— Non, monsieur, je n'ai rien inventé, dis-je. Je peux même prouver ce que j'avance.

— Eh bien dans ce cas, Henri, tu ferais mieux de le faire, dit le directeur. La mutinerie est un délit très grave qui justifie qu'un capitaine de bateau inflige la pire des punitions dont il dispose.

— La mort? demande Jacob, plein d'espoir.

— La planche! lance M. Barbeverte.

— Oh… dit Jacob avec un soupir de déception.

— Puis la mort! ajoute le directeur. Le temps qui s'écoule entre les deux dépend de l'appétit des requins.

— Aaaah! s'exclame Jacob avec enthousiasme. Voilà qui est mieux!

Janie donne un coup de coude à Jacob.

— Ne l'encourage pas dans cette voie! lui murmure-t-elle.

— Eh bien, Henri? dit M. Barbeverte.

— Je réfléchirais à deux fois si j'étais toi, Tournelle, murmure Fred. Je vais révéler « tu-sais-quoi » à tout le monde.

Je lui murmure à mon tour :

— Dis-leur. Je m'en fiche!

— Oh, très bien! C'est ce qu'on va voir, dit Fred.

Je raconte tout ce que je sais : que Fred et Olivier sont de grands admirateurs de M. Constrictor, qu'ils étaient prévenus du moment des attaques en autobus, qu'ils informaient M. Constrictor au sujet de notre mascotte, ce qui lui a donné le temps de dresser Punk à attaquer les bananes, et qu'ils ont même menacé des membres de notre propre équipe de leur serrer la tête si jamais ils remportaient l'épreuve à laquelle ils participaient.

Le directeur est scandalisé. Fred a la réputation d'être l'un des meilleurs élèves de l'école et l'un des plus responsables... du moins, selon l'avis des enseignants. Les élèves, bien sûr, sont d'un tout autre avis.

— Eh bien, Fred? demande M. Barbeverte. Ces allégations sont très graves. Qu'avez-vous à dire pour votre défense, Olivier et toi?

Fred serre les lèvres et me dévisage.

— En tout cas, moi au moins, je n'ai pas provoqué le dérapage d'un camion-citerne qui a détruit le Banamagasin et la moitié de la ville de Nordouest! lance-t-il sans jamais cesser de me regarder.

— Ne sois pas ridicule! s'écrie Florence. Ce n'était pas la faute d'Henri! Les freins du camion étaient défectueux. Tout le monde sait ça, voyons!

— Mais... bredouille Fred, l'air un peu perdu. J'ai vu toute la scène... Henri... et le costume de banane... et... et...

— Mon père est enquêteur en accidents, déclare Florence avec assurance. L'un des meilleurs de Nordouest. Il a classé le rapport. Un frein défectueux a causé l'accident. Fin de l'histoire.

— Mais... bredouille Fred, l'air toujours aussi perdu, mais...

— Mais nous ne sommes pas ici pour parler de moi, dis-je. Nous sommes ici pour parler de toi, d'Olivier et de M. Constrictor.

Fred me lance un regard furieux, puis il se retourne et lève les yeux vers M. Barbeverte. Il fait une drôle de grimace... comme s'il était sur le point de pleurer.

— Alors, Fred, demande le directeur, les allégations d'Henri sont-elles vraies?

— Non! s'écrie Fred. Nous n'avons rien fait, je le jure! Enfin... nous avons fait des choses... mais c'est M. Constrictor qui nous y a obligés. Il a dit que si Olivier et moi refusions de lui dire tout ce que nous savions et de faire tout ce qu'il demandait, il serrerait nos têtes jusqu'à ce qu'elles éclatent. Sa feuille de route ne nous laissait pas d'autre choix que de le croire. Je suis réellement et profondément désolé, monsieur Barbeverte, mais nous étions trop terrorisés pour ne pas obéir.

— C'est bon, Fred, déclare M. Barbeverte en lui tapotant l'épaule et en lui tendant un mouchoir pour sécher les larmes qu'il a réussi à verser. Je crois que nous savons tous quel genre d'homme est M. Constrictor. Je ne suis pas du tout surpris d'apprendre qu'il soit même prêt à intimider et à menacer des enfants innocents pour parvenir à ses fins.

Je proteste avec véhémence :

— Mais Fred n'est pas innocent! Et Olivier non plus!

— Personne n'est tout à fait innocent, dit le directeur, mais je crois que dans le cas qui nous concerne, Fred et

Olivier méritent le bénéfice du doute.

Fred et Olivier regardent M. Barbeverte en hochant la tête comme deux petits anges, puis ils se tournent vers moi et m'adressent un sourire narquois.

Chapitre 62

La vérité à propos de la carrière olympique de M. Dutonus

— Eh bien, je suis content que nous ayons tiré cela au clair, déclare M. Barbeverte. Mais je dois quand même reconnaître que la démission de M. Dutonus au profit de l'académie Ouest de Nordouest demeure un coup terrible. Il est le meilleur enseignant d'éducation physique que l'école Sudest de Nordouest de Centreville ait jamais eu. Il utilisait des méthodes d'entraînement de pointe!

— Oh, je n'en serais pas si sûr, commente Phil qui est descendu de sa cabine de commentateur pour se joindre à la fête.

— Que voulez-vous dire? demande le directeur. Où vais-je trouver un enseignant d'éducation physique aussi compétent que M. Dutonus? Il a fait les Jeux olympiques, vous savez!

— Ça non plus, je n'en serais pas si sûr, renchérit Phil avec un sourire malicieux. Cet homme déforme la réalité encore plus qu'un *paquet de serpents coincés dans un virage en S.*

Jacob me donne un coup de coude.

— Celle-là, je l'ai comprise! murmure-t-il avec un grand sourire.

— J'ai peur des serpents, murmure Lucas. Et je n'aime pas les virages en S non plus.

— Êtes-vous en train de dire que M. Dutonus n'a pas fait les Jeux olympiques? demande M. Barbeverte.

— Non, pas du tout! s'exclame Phil. C'est vrai qu'il a participé aux Jeux olympiques, mais... en tant que vendeur de programmes-souvenirs!

— Il était vendeur de programmes-souvenirs? répète le directeur. En plus de participer à la compétition?

— Il n'a jamais participé à la compétition! réplique Phil. À ma connaissance, il a seulement vendu des programmes-souvenirs.

— Eh bien, réplique M. Barbeverte, avec ou sans victoire olympique, il demeure un enseignant d'éducation physique de premier ordre. Et puis, n'oubliez pas qu'il nous a conduits à notre toute première victoire aujourd'hui!

— Oui, mais après combien de défaites? objecte Phil. Écoutez-moi bien, monsieur Barbeverte. J'ai assisté à un tas de compétitions d'athlétisme, et la vérité, c'est que vous avez gagné *alors* que cet homme était votre enseignant d'éducation physique. Si vous avez gagné aujourd'hui, c'est grâce à M. Desméninges. Il est la meilleure mascotte-banane que j'aie jamais vue. Ciel! J'irais même jusqu'à dire qu'il est la meilleure mascotte que j'aie jamais vue... et croyez-moi, j'en ai vu!

M. Desméninges rougit.

— C'est très gentil à vous de dire cela, monsieur Bobine, mais je ne crois pas que j'irais jusqu'à affirmer une telle chose. Une mascotte n'est rien sans une équipe talentueuse, et ce sont les élèves qui ont fait un travail formidable!

— Oui, dis-je, mais seulement grâce au Programme Desméninges pour l'excellence dans le sport!

— Qu'est-ce que c'est? demande Phil.

Je lui raconte les séances de représentation mentale

dirigées par M. Desméninges et lui explique à quel point elles ont amélioré nos performances.

— Ah! voilà des méthodes d'entraînement de pointe! s'écrie Phil en hochant la tête en signe d'admiration et en se tournant vers le directeur. Si vous ne nommez pas cet homme au poste de nouvel entraîneur sportif officiel de l'école Sudest de Nordouest de Centreville à l'instant même, Barbeverte, c'est que vous êtes plus cinglé qu'une *bande de singes cinglés dans une maison pour singes cinglés au pays des singes cinglés*!

M. Barbeverte se retourne vers M. Desméninges :

— Qu'en dites-vous? demande-t-il. Voulez-vous devenir le nouvel entraîneur sportif de Sudest de Nordouest de Centreville?

M. Desméninges fait un large sourire et hoche la tête.

— Ce serait un grand honneur pour moi, répond-il. Mais à une condition.

— Laquelle? demande le directeur.

— Que je puisse continuer à enseigner à la classe 5B, dit-il.

— Accordé! lance M. Barbeverte en serrant la main de M. Desméninges.

Nous poussons tous un soupir de soulagement.

Et d'excitation.

Avec M. Desméninges comme entraîneur et M. Dutonus travaillant pour l'académie Ouest de Nordouest, la victoire nous est non seulement assurée pour l'an prochain, mais pour de nombreuses années à venir.

Je me mets à crier :

— Donnez-moi un DES!

— DES! crient à pleins poumons tous les élèves de Sudest de Nordouest de Centreville.

— Donnez-moi un MÉNINGES!

— MÉNINGES! crient les élèves.

— Mettez-les ensemble et vous obtenez quoi?

— DESMÉNINGES! scande toute l'école. DES! MÉNINGES! DES! MÉNINGES! DES! MÉNINGES! DES! MÉNINGES! DES! MÉNINGES!

Le stade en entier tremble et résonne de ce bruit tonitruant. Les seules personnes qui ne scandent pas avec enthousiasme sont Fred et Olivier — ils font seulement semblant — et Janie, qui me secoue violemment l'épaule.

— Arrête, Henri! me supplie-t-elle. Dis à tout le monde d'arrêter!

— Qu'y a-t-il? dis-je en levant les bras pour faire cesser le cri.

— Tu sais aussi bien que moi que M. Desméninges ne peut pas être nommé entraîneur, dit-elle.

— Pourquoi pas?

— Oui, pourquoi pas? demande à son tour M. Barbeverte.

— Parce que M. Desméninges est atteint de la folie de la mascotte!

— La folie de la mascotte? répète M. Desméninges. Moi?

Florence s'avance et se lance dans une description clinique détaillée de son étrange comportement banano-compulsif des dernières semaines. Je dois le reconnaître : elle ne néglige aucun détail.

M. Desméninges l'écoute avec attention.

— Ça, par exemple! dit-il enfin. J'avais bien sûr déjà entendu parler de la folie de la mascotte, mais jamais je n'aurais cru pouvoir en être atteint un jour. Je me rappelle avoir pensé beaucoup aux bananes, mais je n'avais pas idée que c'était grave à ce point.

— Ce l'était, confirme Gaëlle.

— Oui, approuve Jacob. Vous nous avez vraiment donné la frousse.

— J'avais peur, ajoute Lucas.

— Oubliez tout ça! lance M. Desméninges en posant une main rassurante sur l'épaule de Lucas. Je vais bien mieux à présent. Le serrement de M. Constrictor a dû m'en guérir.

Janie le regarde avec méfiance.

— Comment pouvons-nous en être sûrs? demande-t-elle.

— Posons-lui quelques questions au sujet des bananes! dis-je.

— Bonne idée, Henri! approuve Florence en consultant son cahier de notes.

Elle se tourne vers M. Desméninges et lui demande :

— Quelle affection courante et virale de la peau peut être guérie à l'aide de bananes?

M. Desméninges hausse les épaules.

— Je l'ignore.

— Quelle fréquence la couleur jaune occupe-t-elle sur la charte des couleurs?

M. Desméninges secoue la tête.

— Je ne saurais le dire.

— Quel est le troisième parfum de lait aromatisé le plus populaire à la cafétéria de l'école?

M. Desméninges hausse à nouveau les épaules.

— Aucune idée, répond-il. Banane?

— Vous dites ça au hasard, pas vrai? demande Florence.

— J'en ai bien peur, confirme M. Desméninges. Vous

voyez? Je suis complètement guéri!

— Comment pouvons-nous en être tout à fait sûrs? dit encore Janie, pas encore complètement convaincue.

— Je sais! s'écrie Jacob en sortant un contenant de lait aromatisé à la banane de son sac et en le flanquant sous le nez de M. Desméninges. Vous avez soif?

Nous retenons tous notre souffle.

Nous savons ce que M. Desméninges pense du lait parfumé à la banane. Il a été très clair là-dessus.

— Ma parole, dit-il, ce n'est pas de refus!

Il prend le contenant, le porte à sa bouche et le vide d'un trait. Quand il a terminé, il se lèche les lèvres de satisfaction.

— J'en avais grand besoin! déclare-t-il. J'ai eu chaud dans ce costume!

— Et comment! dis-je.

Janie hoche la tête et sourit.

— C'est bon, il est redevenu M. Desméninges, déclare-t-elle.

— Alors, acceptez-vous d'être notre nouvel entraîneur? demande M. Barbeverte.

— Avec le plus grand des plaisirs! s'exclame M. Desméninges. Mais il va nous falloir une nouvelle mascotte, évidemment!

Cette fois, je n'ai pas besoin d'y réfléchir à deux fois. Je lève la main aussitôt et m'écrie :

— Je suis volontaire!

Chapitre 63

Le dernier chapitre

Voilà, c'était mon histoire.

Juste au cas où vous vous poseriez la question, elle est tout à fait véridique.

Dans les moindres détails.

Si jamais vous visitez Centreville et que vous passiez, par hasard, devant l'école Sudest de Nordouest de Centreville, n'hésitez pas à vous y arrêter.

Nous sommes très faciles à trouver. Notre classe est la première à gauche, en haut de l'escalier.

Et notre enseignant porte un veston violet.

Mais n'oubliez pas de passer d'abord par la réception pour vous annoncer et signer le livre des visiteurs.

Et pendant que vous y êtes, jetez un coup d'œil à notre coupe des vainqueurs qui trône dans notre nouvelle vitrine. Vous ne pouvez pas la rater : c'est la seule chose que contient la vitrine. Mais ne traînez pas trop, car Mme Rabat-Joie, la secrétaire de l'école, n'aime pas les gens qui lui font perdre son temps.

De toute façon, ça sera super de vous voir. Et puis, si vous avez aimé cette histoire, ne vous inquiétez pas : j'en ai plein d'autres à vous raconter!

Toutes aussi véridiques les unes que les autres.

Dans les moindres détails.

Chapitre 64

Épilogue : Les 7 commandements de la mascotte-banane

Si cette histoire vous a donné envie de devenir mascotte-banane à votre tour, consultez ce petit guide qui vous apprendra tout ce que vous devez savoir sur le sujet.

1. **Prenez de la place**
   Faites savoir à tout le monde que vous êtes là. Faites une entrée remarquée. Attirez l'attention des gens. Souvenez-vous que vous n'êtes pas une pêche, une cerise ou un minuscule raisin insignifiant... Vous êtes une banane!

2. **Soyez prudents**
   Faites attention aux bouches d'égouts béantes, aux gorilles en cavale et aux peaux de bananes égarées. De plus, n'oubliez jamais de regarder des deux côtés de la rue avant de traverser.

3. **Exagérez toujours**
   Vous portez un costume énorme. Vous devez donc doubler ou même tripler l'ampleur de vos gestes habituels de façon que votre costume ne les cache pas. On suggère généralement de marcher beaucoup. Tâchez de ne pas traîner les pieds, mais plutôt de les soulever du sol l'un

après l'autre. Un léger balancement, un pas sautillant, une approche fluide digne d'un fauve ou même un petit rebond enfantin donneront du caractère à votre démarche. Si vous saluez une foule composée de milliers de spectateurs, assurez-vous que même la personne de la dernière rangée puisse vous voir. Utilisez tout votre corps.

4. Soyez émotifs

N'oubliez pas que les événements sportifs peuvent être émouvants. Devant un miroir, avec la tête de votre costume de banane, exercez-vous à exprimer plusieurs émotions : la joie, la tristesse, la colère, la crainte, l'excitation... Détectez l'emplacement des traits faciaux de votre costume et utilisez-les comme une banane le ferait. Une fois que vous aurez perfectionné quelques émotions à l'aide de votre tête et de vos bras, essayez de faire de même avec les autres parties de votre corps. Les frissons, le ralenti, les pieds traînants, les colères, les sauts à répétition et le saut à la corde sont tous de bons mouvements à essayer.

5. Respectez les gens qui n'aiment pas les bananes

Croyez-le ou non, certaines personnes ont horreur des bananes. Si quelqu'un crie, pleure et menace d'appeler la police si vous ne disparaissez pas immédiatement, eh bien, vous feriez mieux de disparaître immédiatement.

6. Soyez brillants

Soyez les meilleures bananes possible. Souvenez-vous que votre équipe compte sur vous.

7. Redoublez de prudence

Ne passez pas de trop longues périodes à la fois dans votre costume et, si vous commencez à devenir complètement toqué de la couleur jaune ou si vous découvrez que vous ne pouvez pas vous empêcher de parler de bananes ou d'y penser, demandez à quelqu'un de vous donner un gros choc.